厳選
語研編集部 編
JN051895

はじめに

『厳選 ウクライナ語日常単語』は，日常生活で頻繁に使われるウクライナ語を学ぶための単語集です。ウクライナ語でのコミュニケーションに必要不可欠な 1,000 語を厳選して収録しました。はじめてウクライナ語に触れる方，ウクライナ語の語彙を増やしたい初～中級の方に最適な一冊となっています。

ウクライナの公用語であるウクライナ語は，スラヴ語派に属す言語です。ウクライナのほか，ロシアやポーランド，カザフスタン，カナダなどに話者がおり，世界で約 4,500 万人が話していると推定されています。キリル文字を使用するためにロシア語に近い言語と考えられがちですが，発音や語彙などはポーランド語の影響が強いと言われています。ウクライナ語の学習は，日本人学習者にとっては，ハードルが高いと感じる場面があるかもしれません。効果的・効率的に語彙を増やす工夫が加えられている本書を活用して，楽しみながら学習を進めていくとよいでしょう。

単語学習は反復と継続が重要です。1 日 1 ページずつでもかまわないので，少しずつ，何度も繰り返すことを心がけてください。新しい単語を覚えたら，積極的に使ってみるよう意識しましょう。

語学学習は学びたいと感じた時がチャンスです。この単語集が，みなさんの新たな世界を広げ，異文化理解を深めるのに役立つことを願っています。

本書の特長

1. 左ページに日本語，右ページにウクライナ語を記載。

日本語，ウクライナ語のどちらからでも覚えられるように，見開きの構成となっています。自分にあった方法で単語学習を進めてみてください。

2. 日本語の横には英語を提示。

ヨーロッパの言語は同じ語源から派生した単語も多いため，英語の助けを借りることで，単語学習がスムーズに進みます。

3. ウクライナ語にはカタカナで発音を記載。

単語学習のはじめの段階に，読み方の確認の足がかりとしてお役立てください。

4. 付属の音声で正確なウクライナ語の発音をチェック。

ウクライナ語には日本語にない音があるので，カタカナだけでは正確に発音を表すことができません。学習効果を高めるために，付属音声を活用して，ネイティブスピーカーの発音を耳から確認する習慣をつけましょう。

5. 達成度・進捗度をページごとに確認。

各見開きの右上には，覚えた単語数を書き込むスペースを３回分用意しました。また，進捗度をパーセンテージで把握できるようになっています。

音声について（音声無料ダウンロード）

本書の付属音声は無料でダウンロードすることができます。下記の URL または QR コードより本書紹介ページの【無料音声ダウンロード】にアクセスしてご利用ください。

https://www.goken-net.co.jp/catalog/card.html?isbn=978-4-87615-400-5

各見開きの左上に記載された QR コードを読み取ると，その見開き分の音声（10 単語分）をまとめて聴くことができます。

注意

- ダウンロードで提供する音声は，複数のファイルを ZIP 形式で 1 ファイルにまとめています。ダウンロード後に復元（解凍）してご利用ください。ZIP 形式に対応した復元アプリを必要とする場合があります。
- 音声ファイルは MP3 形式です。モバイル端末，パソコンともに，MP3 ファイルを再生可能なアプリ，ソフトを利用して聞くことができます。
- インターネット環境によってダウンロードできない場合や，ご使用の機器によって再生できない場合があります。
- 本書の音声ファイルは，一般家庭での私的使用の範囲内で使用する目的で頒布するものです。それ以外の目的で複製，改変，放送，送信などを行いたい場合には，著作権法の定めにより著作権者等に申し出て事前に許諾を受ける必要があります。

001

0001 □ 今日 today

0002 □ 明日 tomorrow

0003 □ 明後日 day after tomorrow

0004 □ 昨日 yesterday

0005 □ 一昨日 day before yesterday

0006 □ 日 day

0007 □ 週 week

0008 □ 月 month

◆月と曜日の表現は p.206 ～ 207 を参照。

0009 □ 年 year

◆「歳《年齢》」という意味でも使う。

0010 □ 世紀 century

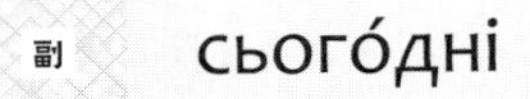

副 **сьогóдні**

スィオホードニ

副 **зáвтра**

ザーフトラ

副 **післязáвтра**

ピスリャザーフトラ

副 **вчóра**

フチョーラ

副 **позавчóра**

ポザフチョーラ

男 **день**

デーニィ

男 **тúждень**

ティージュデニィ

男 **мíсяць**

ミースャツィ

男 **рік**

リーク

中 **столíття**

ストリーッチャ

002

0011 □ 時間，時刻 time

0012 □ 秒 second

0013 □ 分 minute

0014 □ 時間 hour

◆「～時」と言うときにも使う。

0015 □ 朝 morning

0016 □ 正午 noon

0017 □ 昼間 afternoon

0018 □ 夕方 evening

0019 □ 夜 night

0020 □ 真夜中 midnight

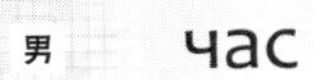

男 **час**

チャース

女 **секу́нда**

セクーンダ

女 **хвили́на**

フヴィルィーナ

女 **годи́на**

ホディーナ

男 **ра́нок**

ラーノク

男 **по́лудень**

ポールデニィ

男 **де́нний час**

デーンヌィ チャース

男 **ве́чір**

ヴェーチル

女 **ніч**

ニーチ

女 **пі́вніч**

ピーヴニチ

003

0021 ☐	今	now
0022 ☐	AM， 午前	AM
0023 ☐	PM， 午後	PM
0024 ☐	カレンダー	calendar
0025 ☐	日付	date
0026 ☐	平日	weekday
0027 ☐	休日	holiday
0028 ☐	誕生日	birthday
0029 ☐	新年	new year
0030 ☐	クリスマス	Christmas

副 за́раз

ザーラズ

до по́лудня, 男 ра́нок

ド ポールドニャ， ラーノク

по обі́ді, 副 пополу́дні

ポ オビーヂ， ポポルードニ

男 календа́р

カレンダール

女 да́та

ダータ

男 бу́дній де́нь

ブドニィ デーニィ

男 вихідни́й де́нь

ヴィヒドゥヌィー デーニィ

男 день наро́дження

デーニィ ナロージェッニャ

男 Нови́й рік

ノーヴィー リーク

中 Різдво́

リズドヴォー

004

0031 □ 季節 season

0032 □ 春 spring

0033 □ 夏 summer

0034 □ 秋 autumn

0035 □ 冬 winter

0036 □ いつも always

0037 □ 時々 sometimes

0038 □ 最近 recently

0039 □ 未来 future

0040 □ 過去 past

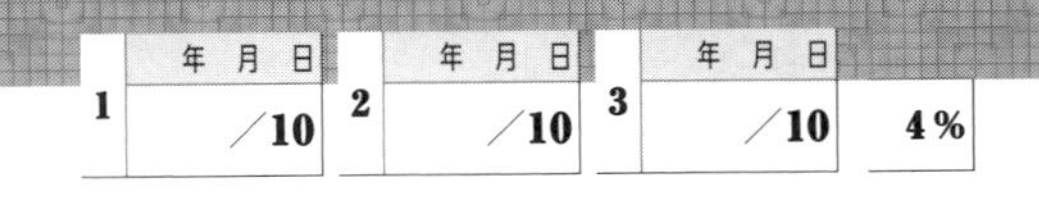

男 сезо́н
セゾーン

女 весна́
ヴェスナー

中 лі́то
リート

女 о́сінь
オースィニ

女 зима́
ズィマー

副 завжди́
ザヴジュディー

副 і́нoді
イーノヂィ

副 нещода́вно
ネシチョダーヴノ

中 майбу́тнє
マイブゥートニェ

中 мину́ле
ムィヌーレ

005

0041 ☐	東	east
0042 ☐	西	west
0043 ☐	南	south
0044 ☐	北	north
0045 ☐	上に	up
0046 ☐	下に	down
0047 ☐	左に	left
0048 ☐	右に	right
0049 ☐	近い	near
0050 ☐	遠い	far

男 **схід**

スヒード

男 **за́хід**

ザーヒド

男 **пі́вдень**

ピーヴデニィ

女 **пі́вніч**

ピーヴニチ

副 **вго́ру**

ヴホール

副 **вниз**

ヴヌィーズ

副 **ліво́руч**

リヴォールチ

副 **право́руч**

プラヴォールチ

形 **близьки́й**

ブルィズィクィーイ

形 **дале́кий**

ダレークィイ

006

0051 □ 気候 climate

0052 □ 天気 weather

0053 □ 天気予報 weather forecast

0054 □ 気温，温度 temperature

◆「体温」という意味でも使う。

0055 □ 暑い hot

0056 □ 寒い cold

0057 □ 晴れた sunny

◆「晴天」は ясная погода 〚女〛 ヤスナー ポォホーダ。

0058 □ 曇った cloudy

0059 □ 雨 rain

0060 □ 風 wind

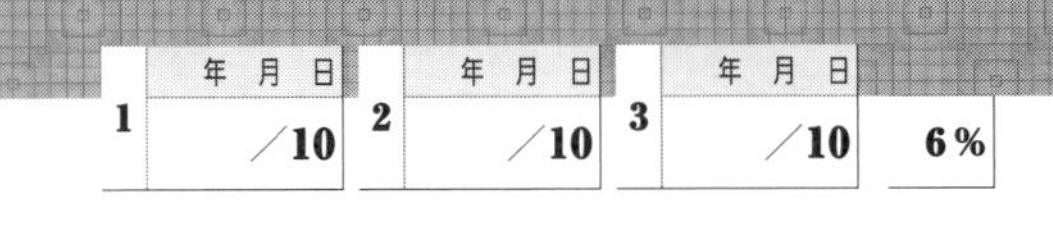

男 **клі́мат**

クリーマト

女 **пого́да**

ポォホーダ

男 **прогно́з пого́ди**

プロフノーズ ポォホーディ

女 **температу́ра**

テムペラトゥーラ

形 **жарки́й**

ジァルクィーイ

形 **холо́дний**

ホロードヌィイ

形 **со́нячний**

ソーニャチヌィイ

形 **хма́рний**

フマールヌィイ

男 **дощ**

ドーシュチ

男 **ві́тер**

ヴィーテル

007

0061 □ 雪 snow

0062 □ 霧 fog

0063 □ 雷 thunder

0064 □ 虹 rainbow

0065 □ 空 sky

0066 □ 太陽 sun

◆天文学における天体としての「太陽」を示す場合，頭文字は大文字になる。

0067 □ 月 moon

◆天文学における天体としての「月」を示す場合，頭文字は大文字になる。

0068 □ 星 star

0069 □ 宇宙 universe

0070 □ ロケット rocket

◆「ミサイル」という意味でも使う。

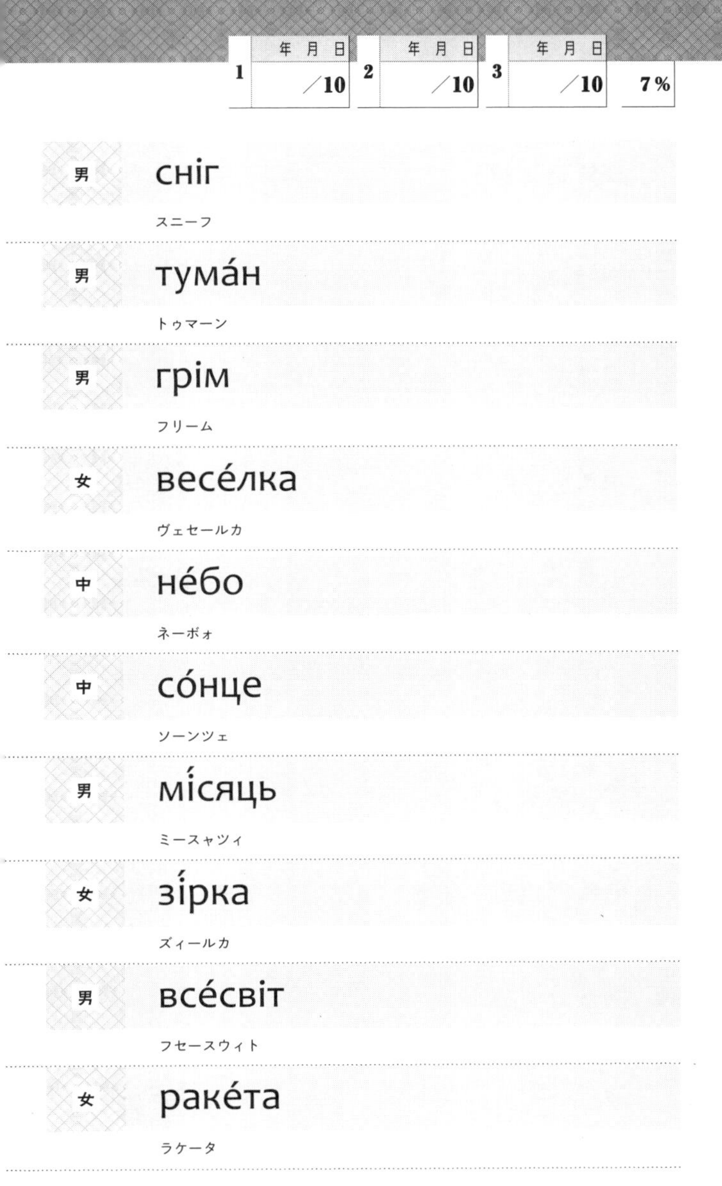

1	年　月　日　／10	2	年　月　日　／10	3	年　月　日　／10	7％

男 **сніг**
スニーフ

男 **тума́н**
トゥマーン

男 **грім**
フリーム

女 **весе́лка**
ヴェセールカ

中 **не́бо**
ネーボォ

中 **со́нце**
ソーンツェ

男 **мі́сяць**
ミースャツィ

女 **зі́рка**
ズィールカ

男 **все́світ**
フセースウィト

女 **раке́та**
ラケータ

008

0071 ☐	空気，大気	air
0072 ☐	地球	Earth
0073 ☐	自然	nature
0074 ☐	風景	landscape
0075 ☐	山	mountain
0076 ☐	川	river

◆「小川」は рі́чка〘女〙リーチカ。

0077 ☐	海	sea
0078 ☐	砂浜，浜辺	beach
0079 ☐	湖	lake
0080 ☐	池	pond

1	年 月 日 ／10	2	年 月 日 ／10	3	年 月 日 ／10	8%

中 **пові́тря**

ポヴィートリャ

女 **Земля́**

ゼムリャー

女 **приро́да**

プルィローダ

男 **ландша́фт**

ランドシャーフト

女 **гора́**

ホラー

女 **ріка́**

リカー

中 **мо́ре**

モーレ

男 **пляж**

プリャージュ

中 **о́зеро**

オーゼロ

男 **ставо́к**

スタヴォーク

009

0081 □ 森林 forest

0082 □ 野原，畑 field

0083 □ 草 grass

0084 □ 草原 meadow

◆「(牧草地としての) 草原」は лу́ка 〖女〗 ルーカ，пасови́ще 〖中〗 パソヴィーッシェ。

0085 □ 丘 hill

0086 □ 谷 valley

0087 □ 石 stone

0088 □ 砂 sand

0089 □ 砂漠 desert

0090 □ 火山 volcano

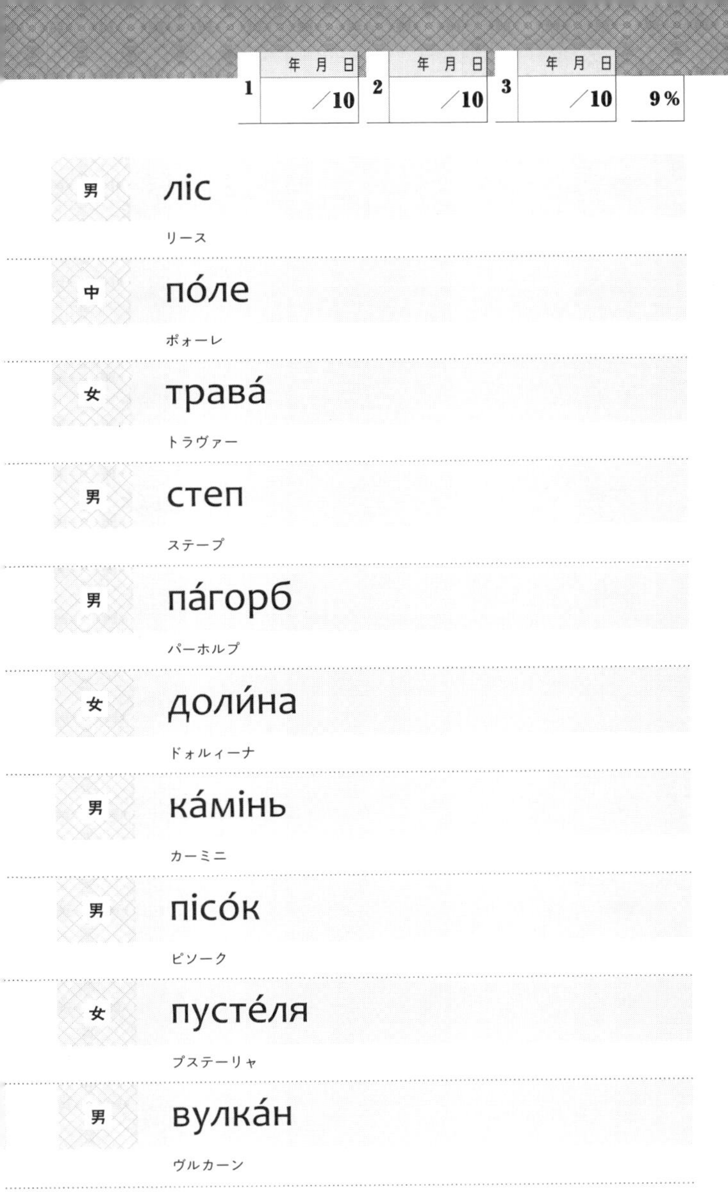

1	年　月　日 ／10	2	年　月　日 ／10	3	年　月　日 ／10	9％

男 **ліс**
リース

中 **по́ле**
ポォーレ

女 **трава́**
トラヴァー

男 **степ**
ステープ

男 **па́горб**
パーホルプ

女 **доли́на**
ドォルィーナ

男 **ка́мінь**
カーミニ

男 **пісо́к**
ピソーク

女 **пусте́ля**
プステーリャ

男 **вулка́н**
ヴルカーン

010

0091 □	島	island
0092 □	半島	peninsula
0093 □	大陸	continent
0094 □	海峡	strait
0095 □	植物	plant
0096 □	木	tree

◆「木材」は деревина́〖女〗デレヴィナー。

0097 □	枝	branch
0098 □	葉	leaf
0099 □	花	flower
0100 □	種〈たね〉	seed

男 **о́стрів**

オーストリフ

男 **піво́стрів**

ピヴオーストリフ

男 **контине́нт**

コンティネーント

女 **прото́ка**

プロトーカ

女 **росли́на**

ロスルィーナ

中 **де́рево**

デーレヴォ

女 **гі́лка**

ヒールカ

男 **листо́к**

ルィストーク

女/女複 **кві́тка ／ квітки́**

クヴィートカ ／ クヴィトクウィー

中 **насі́ння**

ナスィーンニャ

011

0101 □ 動物 — animal

0102 □ 動物園 — zoo

0103 □ 水族館 — aquarium

0104 □ イヌ — dog

0105 □ ネコ（雄猫／雌猫） — cat

0106 □ ウマ（雄馬／雌馬） — horse

0107 □ ウシ（雄牛／雌牛） — cow

0108 □ ブタ — pig

◆「子豚」は порос́я〖中〗ポロシャー。

0109 □ ヒツジ（雄羊／雌羊） — sheep

0110 □ ヤギ（雄ヤギ／雌ヤギ） — goat

女 **твари́на**

トヴァルィーナ

男 **зоопа́рк**

ゾオパールク

男 **аква́ріум**

アクヴァーリウム

男 **пес, соба́ка**

ペス，　ソバーカ

男/女 **кіт / кі́шка**

キット　／　キーシュカ

男/女 **кі́нь / коби́ла**

キーニ　／　コブィーラ

男/女 **бик / коро́ва**

ブィーク　／　コローワ

女 **свиня́**

スヴィニャー

男/女 **бара́н / вівця́**

バラーン　／　ヴィフツャー

男/女 **козе́л / коза́**

コゼール　／　コザー

012

0111 □ クマ — bear

0112 □ ゾウ — elephant

0113 □ トラ — tiger

0114 □ ライオン — lion

0115 □ キツネ — fox

0116 □ オオカミ — wolf

0117 □ ウサギ — rabbit

0118 □ サル — monkey

0119 □ ハツカネズミ — mouse

◆コンピュータのマウスの意味もある。「クマネズミ」は чóрний щур 『男』チョールヌィ シチュール。

0120 □ ラクダ — camel

男 **ведмі́дь**

ヴェドミーディ

男 **сло́н**

スローン

男 **тигр**

ティーフル

男 **лев**

レーヴ

女 **лиси́ця**

ルィスィーツャ

男 **вовк**

ヴォーフク

男 **кро́лик**

クロールィク

女 **ма́впа**

マーフパ

女 **ми́ша**

ムィーシャ

男 **верблю́д**

ヴェルブリュード

013

0121 □	鳥	bird
0122 □	ニワトリ（オンドリ／メンドリ）	rooster／hen
0123 □	ハト	pigeon
0124 □	カラス	crow
0125 □	カエル	frog
0126 □	ヘビ	snake
0127 □	昆虫	insect
0128 □	蝶	butterfly
0129 □	蚊	mosquito
0130 □	ハエ	fly

1	年 月 日 ／10	2	年 月 日 ／10	3	年 月 日 ／10	13％

男 **птах**

プターフ

男/女 **пі́вень ／ ку́рка**

ピーヴェニ ／ クゥールカ

男 **го́луб**

ホールプ

女 **воро́на**

ヴォローナ

女 **жа́ба**

ジァーバ

女 **змія́**

ズミヤー

女 **кома́ха**

コマーハ

男 **мете́лик**

メテールィク

男 **кома́р**

コマール

女 **му́ха**

ムゥーハ

014

0131 □ 家族 family

0132 □ 父 father

◆「両親」は батькú『複』バティキィー。

0133 □ 母 mother

0134 □ 夫 husband

0135 □ 妻 wife

0136 □ 息子 son

0137 □ 娘 daughter

0138 □ 夫婦 married couple

0139 □ 兄弟 ／ 姉妹 brother ／ sister

0140 □ 親戚 relative [relatives]

女 **сім'я́, роди́на**

スィムヤー，　ロディーナ

男 **ба́тько**

バーティコ

女 **ма́ти**

マーティ

男 **чолові́к**

チョロヴィーク

女 **дружи́на**

ドルジーナ

男 **син**

スィーン

女 **дочка́**

ドチカー

中 **подру́жжя**

ポドルージュジャ

男/女 **брат／сестра́**

ブラート　／　セストラー

男 **ро́дич**

ローディチ

015

0141 □ 祖父 grandfather

0142 □ 祖母 grandmother

0143 □ 孫 〖男／女〗 grandson／granddaughter

0144 □ おじ uncle

0145 □ おば aunt

0146 □ おい nephew

0147 □ めい niece

0148 □ いとこ 〖男／女〗 cousin

0149 □ 赤ちゃん baby

◆「幼児」は маля́〖中〗マリャー。

0150 □ 子ども child

男 **діду́сь, дід**

ディドゥースィ， ディード

女 **бабу́ся, ба́ба**

バブゥースャ， バーバ

男/女 **ону́к / ону́ка**

オヌーク ／ オヌーカ

男 **дя́дько**

デャーディコ

女 **ті́тка**

ティートカ

男 **племі́нник**

プレミーンヌィク

女 **племі́нниця**

プレミーンヌィツャ

男/女 **двою́рідний брат / двою́рідна сестра́**

ドヴォユーリドヌィ ブラート ／ ドヴォユーリドナ セストラー

中 **немовля́**

ネモヴリャー

女/女複 **дити́на / ді́ти**

ディティーナ ／ ディーティ

016

0151 □	少年 ／ 少女	boy／girl
0152 □	若者	youth
0153 □	大人， 成人	adult
0154 □	高齢者	elderly (people)
0155 □	人， 人間	man, human

◆ 前者の単語は「特定の人物」，後者は「一般的な〈人〉」を指す。

0156 □	人々	people
0157 □	性格	character
0158 □	印象， 感銘	impression
0159 □	振る舞い	behavior
0160 □	態度	attitude

男/女 **хло́пчик ／ ді́вчинка**

フロープチク ／ ディーヴチィンカ

女 **мо́лодь**

モーロディ

男 **доро́слий**

ドロースルィイ

女 **лі́тня люди́на**

リートニャ リュディーナ

女 **осо́ба, люди́на**

オソーバ, リュディーナ

複 **лю́ди**

リューディ

男 **хара́ктер**

ハラークテル

中 **вра́ження**

ヴラージェンニャ

女 **поведі́нка**

ポヴェディーンカ

中 **відно́шення**

ヴィドノーシェンニャ

🔊  *017*

0161 □	感覚，気持ち	feeling

◆「感情」は емóція〚女〛エモーツィヤ。

0162 □	意志	will
0163 □	喜び，楽しみ	joy
0164 □	怒り	anger
0165 □	悲しみ	sadness
0166 □	驚き	surprise
0167 □	不安	anxiety

◆「心配，懸念」は тривóга〚女〛トルィヴォーハ。

0168 □	恐怖	fear
0169 □	同情	sympathy
0170 □	ホームシック	homesick

中 **почуття́, відчуття́**

ポォチュッチャー， ヴィドチュッチャー

女 **во́ля**

ヴォーリャ

女 **ра́дість**

ラーディスチ

男 **гнів**

フニーヴ

男 **сму́ток**

スムートク

中 **здивува́ння**

ズディヴゥヴァーンニャ

男 **неспо́кій**

ネスポォーキィ

男 **стра́х**

ストラーフ

中 **співчуття́**

スピヴチュッチャー

女 **ту́га за домі́вкою**

トゥーハ ザ ドミーフコユ

018

0171 □ 挨拶 greeting

0172 □ 習慣 habit

0173 □ 会話 conversation

◆「対話」は діалóг〖男〗ディアローフ。

0174 □ 約束 promise

0175 □ 集まり，会うこと meeting

0176 □ 望み hope

◆ 前者の単語は「希望」，後者は「願望」を指す。

0177 □ 援助 help

0178 □ 助言 advice

0179 □ 協力 cooperation

0180 □ 感謝 gratitude

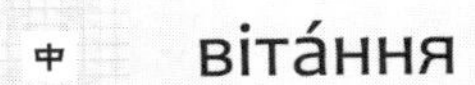

中 **віта́ння**

ヴィターンニャ

女 **зви́чка**

ズヴィーチカ

女 **розмо́ва**

ロズモーヴァ

女 **обіця́нка**

オビツャーンカ

女 **зу́стріч**

ズーストリチ

女, 中 **наді́я, бажа́ння**

ナディーヤ，　バジァーンニャ

女 **допомо́га**

ドポモーハ

女 **пора́да**

ポラーダ

中 **співробі́тництво**

スピヴロビートヌィツトヴォ

女 **вдя́чність**

ヴヂャーチニスチ

019

0181 □	入学	admission
0182 □	友人	friend
0183 □	ボーイフレンド，若い男性	boyfriend, boy
0184 □	ガールフレンド，若い女性	girlfriend, girl
0185 □	愛	love

◆ 前者の単語は「恋愛的な深い愛情」，後者は「包括的で幅広い愛」を指す。

0186 □	結婚	marriage
0187 □	結婚式	wedding
0188 □	離婚	divorce
0189 □	葬式	funeral
0190 □	墓	grave

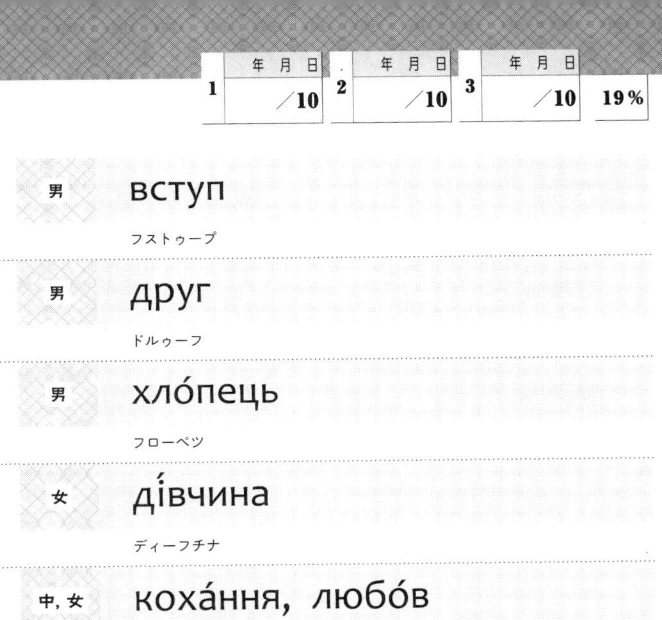

1	年 月 日 ／10	2	年 月 日 ／10	3	年 月 日 ／10	19％

男 **вступ**
フストゥープ

男 **друг**
ドルゥーフ

男 **хло́пець**
フローペツ

女 **ді́вчина**
ディーフチナ

中, 女 **коха́ння, любо́в**
コハーンニャ， リュボォーフ

男 **шлюб**
シュリュープ

中 **весі́лля**
ヴェスィーッリャ

中 **розлу́чення**
ロズルーチェンニャ

男 **по́хорон**
ポォーホォロン

女 **моги́ла**
モフィーラ

020

0191 □ 人生，生命，生活 life

0192 □ 妊娠 pregnancy

◆「出産」は полóги 〖複〗 ポローフィ。

0193 □ 誕生 birth

0194 □ 死 death

0195 □ 体 body

0196 □ 頭 head

0197 □ 髪の毛 hair

0198 □ 顔 face

0199 □ 目 eye

0200 □ 鼻 nose

中 **життя́**

ジッチャー

女 **ваѓітність**

ヴァヒートニスチ

中 **наро́дження**

ナロージェッニャ

女 **смерть**

スメールチ

中 **ті́ло**

チーロ

女 **голова́**

ホロヴァー

中 **воло́сся**

ヴォローッシャ

中 **обли́ччя**

オブルィーッチャ

中/中複 **о́ко ／ о́чі**

オーコ ／ オーチ

男 **ніс**

ニース

021

0201 □	耳	ear
0202 □	口	mouth
0203 □	あごひげ	beard
0204 □	唇	lip [lips]
0205 □	歯	tooth [teeth]
0206 □	舌	tongue
0207 □	のど	throat
0208 □	声	voice
0209 □	首	neck
0210 □	肩	shoulder

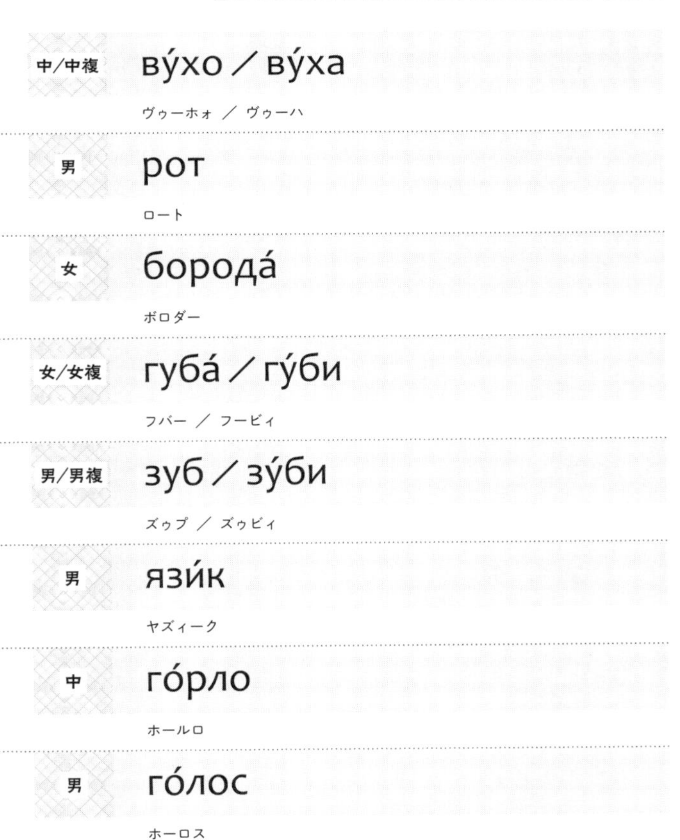

中/中複 **ву́хо ／ ву́ха**

ヴーホォ ／ ヴーハ

男 **рот**

ロート

女 **борода́**

ボロダー

女/女複 **губа́ ／ гу́би**

フバー ／ フービィ

男/男複 **зуб ／ зу́би**

ズゥプ ／ ズゥビィ

男 **язи́к**

ヤズィーク

中 **го́рло**

ホールロ

男 **го́лос**

ホーロス

女 **ши́я**

シィーヤ

中/中複 **плече́ ／ пле́чі**

プレチェー ／ プレーチ

022

0211 □	手，腕	hand, arm
0212 □	ひじ	elbow
0213 □	指	finger
0214 □	爪	nail
0215 □	背中	back
0216 □	おなか，腹	belly
0217 □	胸	chest

◆「胸の内（心や内面的な部分）」は душá 〖女〗 ドゥシャー。

0218 □	腰	lower back
0219 □	尻	buttock [buttocks]
0220 □	ひざ	knee

女/女複 рукá ／ рýки

ルゥカー ／ ルゥーキ

男 лíкоть

リーコチ

男 пáлець

パーレツィ

男 нíготь

ニーホチ

女 спи́на

スプィーナ

男 живíт

ジヴィート

複 грýди

フルゥーディ

男 пóперек

ポーペレク

女 сідни́ця

スィドヌィーツャ

中 колíно

コリーノ

023

0221 □	足，脚	foot, leg
0222 □	脳	brain
0223 □	心臓，心	heart
0224 □	肺	lung [lungs]
0225 □	胃	stomach
0226 □	肝臓	liver
0227 □	骨	bone
0228 □	筋肉 ◆複数形もよく用いられる。	muscle
0229 □	皮膚 ◆「皮革，レザー」という意味でも使う。	skin
0230 □	血	blood

女 **ногá**

ノハー

男 **мóзок**

モーゾク

中 **сéрце**

セールツェ

女/女複 **легéня ／ легéні**

レヘーニャ ／ レヘーニィ

男 **шлýнок**

シュルーノク

女 **печíнка**

ペチーンカ

女 **кíстка**

キーストカ

男 **м'яз**

ムヤーズ

女 **шкíра**

シュキーラ

女 **крóв**

クローヴ

024

0231 □ 汗 sweat

0232 □ 涙 tear

◆複数形がよく用いられる。

0233 □ 健康 health

0234 □ 病気 disease

0235 □ 風邪 cold

0236 □ インフルエンザ influenza, flu

0237 □ アレルギー allergy

0238 □ 感染，伝染病 infection

◆「感染(症)」は інфéкція 〖女〗 インフェークツィヤ。

0239 □ 熱，発熱 fever

◆暑さや熱い状態を表す際に用いる。

0240 □ 傷，けが injury

男 **піт**

ピット

女/女複 **сльоза́ / сльо́зи**

スリョザー ／ スリョーズィ

中 **здоро́в'я**

ズドローヴィヤ

女 **хворо́ба**

ホヴォローバ

女 **просту́да, засту́да**

プロストゥーダ, ザストゥーダ

男 **грип**

フルィープ

女 **алергі́я**

アレルヒーヤ

中 **зара́ження**

ザラージェンニャ

男 **жар**

ジァール

女 **ра́на**

ラーナ

025

0241 □ 痛み — pain

0242 □ 頭痛 — headache

0243 □ めまい — dizziness

0244 □ くしゃみ — sneeze

0245 □ せき — cough

0246 □ 下痢 — diarrhea

◆「腹痛」は біль у животі́ 〖男〗 ビーリ ウ ジヴォチー。

0247 □ 空腹 — hunger

0248 □ のどの渇き — thirst

0249 □ ストレス — stress

0250 □ 緊張した，神経の — nervous

男 **біль**

ビーリ

男 **головни́й біль**

ホロヴヌィー ビーリ

中 **запа́морочення**

ザパーモロチェッニャ

中 **чха́ння**

チハーンニャ

男 **ка́шель**

カーシェリ

男 **проно́с**

プロノース

男 **го́лод**

ホーロド

女 **спра́га**

スプラーハ

男 **стрес**

ストレース

形 **нерво́вий**

ネルヴォーヴィイ

026

0251 □ 病院 — hospital

0252 □ 医者 〘男／女〙 — doctor

0253 □ 看護師 〘男／女〙 — nurse

0254 □ 患者 〘男／女〙 — patient

0255 □ 救急車 — ambulance

0256 □ 診察，検査 — (medical) examination

0257 □ 手術 — surgery

0258 □ 注射 — injection

0259 □ 包帯 — bandage

0260 □ 処方箋 — prescription

◆「レシピ」という意味でも使う。

男, 女 **го́спіталь, ліка́рня**

ホースピタリ, リカールニャ

男/女 **лі́кар / лі́карка**

リーカル / リーカルカ

男/女 **медбра́т / медсестра́**

メドブラート / メドセストラー

男/女 **паціє́нт / паціє́нтка**

パツィエーント / パツィエーントカ

女 **швидка́ допомо́га**

シュヴィドカー ドポモーハ

男 **о́гляд**

オーフリャド

女 **опера́ція**

オペラーツィヤ

女 **ін'є́кція**

インイェークツィヤ

男 **бинт**

ブィント

男 **реце́пт**

レツェープト

027

0261 □ 薬局 pharmacy

0262 □ 薬 medicine

0263 □ 錠剤 tablet

0264 □ 軟膏 ointment

0265 □ 化粧品 cosmetic

0266 □ 口紅 lipstick

0267 □ 香水 perfume

0268 □ タバコ cigarette

◆「タバコの葉」は тютю́н〖男〗 テュテューン。

0269 □ ライター lighter

0270 □ 禁煙 《掲示》 No smoking.

女 **аптéка**

アプテーカ

複 **лíки**

リークィ

女 **таблéтка**

タブレートカ

女 **мазь**

マーズィ

女 **космéтика**

コスメーティカ

女 **губнá помáда**

フブナー ポォマーダ

複 **парфýми**

パルフゥームィ

女 **сигарéта**

スィハレータ

女 **запальни́чка**

ザパリヌィーチカ

Не пали́ти.

ネ パリィーティ

028

0271 □	衣服	clothes
0272 □	襟	collar
0273 □	袖	sleeve
0274 □	ジャケット	jacket
0275 □	コート	coat
0276 □	セーター	sweater
0277 □	ズボン	pants
0278 □	スカート	skirt
0279 □	シャツ，ワイシャツ	shirt
0280 □	ブラウス	blouse

1
年 月 日
／10
2
年 月 日
／10
3
年 月 日
／10
28％

男 **о́дяг**

オーデャフ

男 **ко́мір**

コーミル

男 **рука́в**

ルカーフ

男 **піджа́к, жаке́т**

ピジャーク， ジァケート

中 **пальто́**

パリトー

男 **светр**

スヴェートル

複 **штани́**

シュタヌィー

女 **спідни́ця**

スピドヌィーツャ

女 **соро́чка**

ソローチカ

女 **блу́зка**

ブルゥースカ

029

0281 □ Tシャツ — t-shirt

0282 □ スーツ — suit

0283 □ ドレス，ワンピース — dress

0284 □ 下着 — underwear

0285 □ 靴下 — sock [socks]

0286 □ ストッキング — stocking [stockings]

0287 □ 靴 — shoe [shoes]

◆複数形は存在しない。

0288 □ スニーカー — sneaker [sneakers]

0289 □ ブーツ — boot [boots]

0290 □ （つばのある）帽子 — hat

◆「（つばのない）帽子」は ша́пка〚女〛シャープカ。

女 **футбо́лка**

フドボールカ

男 **костю́м**

コストューム

中，女 **пла́ття (жіно́че)， су́кня**

プラーッチャ（ジノーチェ），スークニャ

女 **спі́дня біли́зна**

スピードニャ ビリィーズナ

女/女複 **шкарпе́тка / шкарпе́тки**

シュカルペートカ ／ シュカルペートキィ

女/女複 **панчо́ха / панчо́хи**

パンチョーハ ／ パンチョーフィ

中 **взуття́**

ヴズッチャー

女/女複 **кросі́вок / кросі́вки**

クロシーヴォク ／ クロシーフキィ

男/男複 **чо́біт / чо́боти**

チョービト ／ チョーボティ

男 **капелю́х**

カペルーフ

030

0291 □ ジュエリー　jewelry

◆「宝石」は коштóвність〖女〗コシュトーヴニスチ。

0292 □ ネックレス　necklace

0293 □ イヤリング，ピアス　earring [earrings]

0294 □ 指輪　ring

0295 □ 腕時計　watch

0296 □ 財布　wallet

0297 □ メガネ　glasses

0298 □ ネクタイ　tie

0299 □ ベルト　belt

0300 □ ハンカチ　handkerchief

◆首や頭に巻くスカーフは хýстка〖女〗フーストカ。

複 **ювелі́рні ви́роби**

ユヴェリールニ ヴイーロブィ

中 **нами́сто**

ナミースト

女/女複 **сере́жка / сере́жки**

セレージュカ ／ セレージュキィ

女 **обру́чка**

オブルーチカ

男 **ручни́й годи́нник**

ルチヌィー ホディーンヌィク

男 **гамане́ць**

ハマネーツィ

複 **окуля́ри**

オクゥリャールィ

女 **крава́тка**

クラヴァートカ

男 **ре́мінь**

レーミン

女 **носова́ ху́стка**

ノソヴァー フーストカ

031

0301 □	手袋	glove [gloves]
0302 □	マフラー	scarf
0303 □	傘	umbrella
0304 □	バッグ，袋	bag
0305 □	ハンドバッグ	handbag
0306 □	リュックサック	backpack
0307 □	布，織物	fabric
0308 □	綿，コットン	cotton
0309 □	絹，シルク	silk
0310 □	毛[糸]，ウール	wool

女/女複 **рукави́чка ／ рукави́чки**

ルカヴィーチカ ／ ルカヴィーチキィ

男 **шарф**

シャールフ

女 **парасо́лька**

パラソーリカ

女 **су́мка**

スゥームカ

女 **су́мочка**

スーモチカ

男 **рюкза́к**

リュグザーク

女 **ткани́на**

トカヌィーナ

女 **баво́вна**

バヴォーヴナ

男 **шовк**

ショーフク

女 **шерсть**

シェールスチ

032

0311 ☐	金， ゴールド	gold
0312 ☐	銀， シルバー	silver
0313 ☐	銅	copper
0314 ☐	色	color
0315 ☐	赤い	red
0316 ☐	青い	blue
0317 ☐	黄色い	yellow
0318 ☐	緑色の	green
0319 ☐	オレンジ色の	orange
0320 ☐	茶色い	brown

中 зо́лото

ゾーロト

中 срі́бло

スリーブロ

女 мідь

ミーディ

男 ко́лір

コーリル

形 черво́ний

チェルヴォーヌィイ

形 си́ній

スィーニイ

形 жо́втий

ジョーフティイ

形 зеле́ний

ゼレーヌィイ

形 помара́нчевий

ポマラーンチェヴィイ

形 кори́чневий

コルィーチネヴィイ

033

0321 □	灰色の	gray
0322 □	黒い	black
0323 □	白い	white
0324 □	家，家庭	home
0325 □	鍵	key
0326 □	家賃	rent
0327 □	引っ越し	moving
0328 □	住所，宛先	address
0329 □	マンション，アパート	apartment
0330 □	階，層	floor

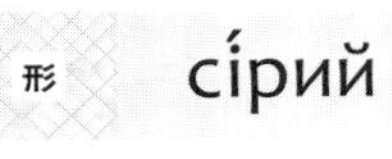

形 **сíрий**

シーリィイ

形 **чóрний**

チョールヌィイ

形 **бíлий**

ビールィイ

男 **будúнок**

ブディーノク

男 **ключ**

クリューチ

女 **квартплáта**

クワルトプラータ

男 **переї́зд**

ペレイィーズド

女 **адрéса**

アドレーサ

女 **квартúра**

クワルティーラ

男 **пóверх**

ポーヴェルフ

034

0331 ☐	部屋	room
0332 ☐	門	gate
0333 ☐	玄関	entrance
0334 ☐	リビング	living room
0335 ☐	キッチン	kitchen
0336 ☐	寝室	bedroom
0337 ☐	書斎	study
0338 ☐	地下室	basement
0339 ☐	バルコニー	balcony
0340 ☐	車庫，ガレージ	garage

女 **кімна́та**

キムナータ

複 **воро́та**

ヴォロータ

男 **передпо́кій**

ペレドポーキィ

女 **віта́льня**

ヴィタールニャ

女 **ку́хня**

クゥーフニャ

女 **спа́льня**

スパールニャ

男 **кабіне́т**

カビネート

男 **підва́л**

ピドヴァール

男 **балко́н**

バルコーン

男 **гара́ж**

ハラージュ

035

0341 ☐	浴室	bathroom
0342 ☐	シャワー	shower
0343 ☐	トイレ	toilet
0344 ☐	ドア	door
0345 ☐	階段	stairs
0346 ☐	壁	wall
0347 ☐	床	floor
0348 ☐	屋根	roof
0349 ☐	庭	garden
0350 ☐	中庭	courtyard

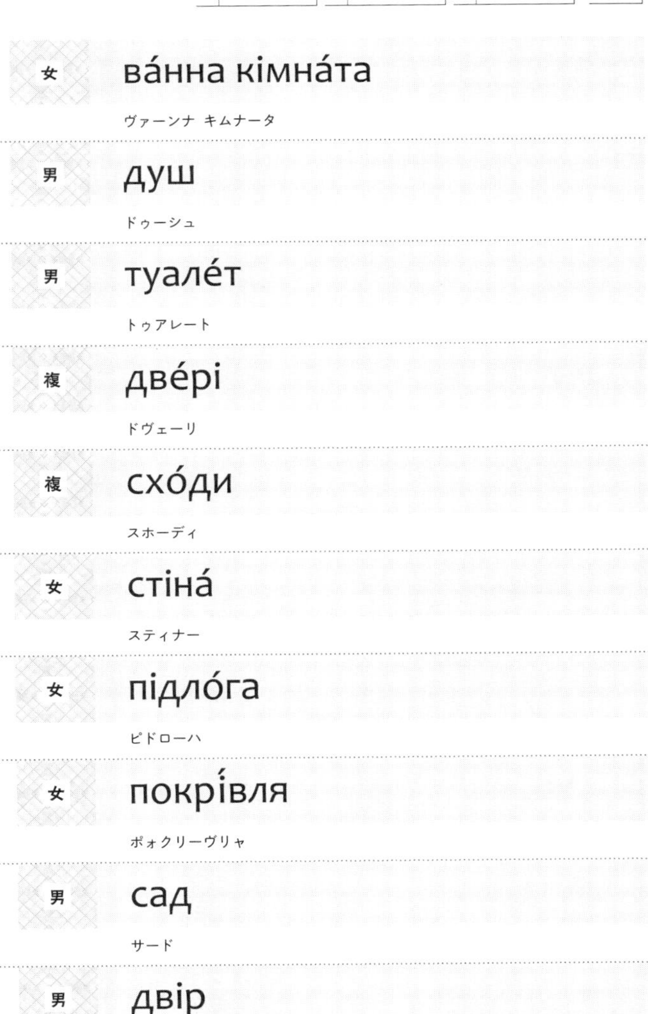

女 **ва́нна кімна́та**
ヴァーンナ キムナータ

男 **душ**
ドゥーシュ

男 **туале́т**
トゥアレート

複 **две́рі**
ドヴェーリ

複 **схо́ди**
スホーディ

女 **стіна́**
スティナー

女 **підло́га**
ピドローハ

女 **покрі́вля**
ポォクリーヴリャ

男 **сад**
サード

男 **двір**
ドゥヴィール

036

0351 ☐	家具	furniture
0352 ☐	テーブル	table
0353 ☐	机	desk
0354 ☐	椅子	chair
0355 ☐	ソファ	sofa
0356 ☐	洋服ダンス	wardrobe
0357 ☐	食器棚	cupboard
0358 ☐	本棚	bookshelf
0359 ☐	カーテン	curtain
0360 ☐	窓	window

複 **ме́блі**

メーブリ

男 **стіл**

スティール

男 **письмо́вий стіл**

ピスモーヴィ スティール

男 **стіле́ць**

スティレーツィ

男 **дива́н**

ディヴァーン

女, 男 **ша́фа, комо́д**

シャーファ， コモード

女 **посу́дна ша́фа**

ポスードナ シャーファ

女 **книжко́ва поли́ця**

クヌィジュコーワ ポリーツィヤ

女 **фіра́нка**

フィラーンカ

中 **вікно́**

ヴィクノー

037

0361 ☐	じゅうたん	carpet
0362 ☐	ベッド	bed
0363 ☐	まくら	pillow
0364 ☐	毛布	blanket
0365 ☐	照明	lighting
0366 ☐	ろうそく	candle
0367 ☐	ランプ	lamp
0368 ☐	エアコン	air conditioner
0369 ☐	暖炉	fireplace
0370 ☐	時計	clock

男 **ки́лим**

キールィム

中 **лі́жко**

リージュコ

女 **поду́шка**

ポォドゥーシュカ

女 **ко́вдра**

コーヴドラ

中 **осві́тлення**

オスヴィートレッニャ

女 **сві́чка**

スヴィーチカ

女 **ла́мпа**

ラームパ

男 **кондиціоне́р**

コンディツィオネール

男 **камі́н**

カミーン

男 **годи́нник**

ホディーンヌィク

038

0371 □ 花瓶 vase

0372 □ 人形 doll

0373 □ おもちゃ toy

0374 □ ドライヤー hair dryer

0375 □ シャンプー shampoo

0376 □ ヘアブラシ hairbrush

◆「くし（comb）」は гре́бінь 〘男〙 フレービニ。

0377 □ 歯ブラシ toothbrush

◆「歯磨き粉」は зубна́ па́ста 〘女〙 ズゥブナー パースタ。

0378 □ 石鹸 soap

0379 □ タオル towel

0380 □ 鏡 mirror

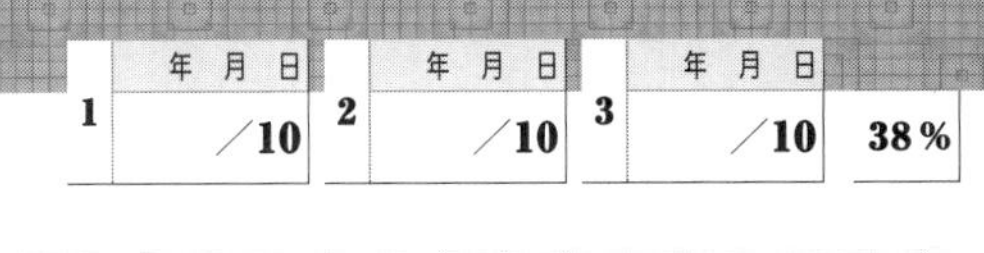

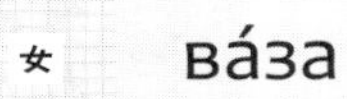

女 **ва́за**

ヴァーザ

女 **ля́лька**

リャーリカ

女 **і́грашка**

イーフラシュカ

男 **фен**

フェン

男 **шампу́нь**

シャンプーニ

女 **щі́тка для воло́сся**

シートカ ドリャ ヴォローッシャ

女 **зубна́ щі́тка**

ズゥブナー シートカ

中 **ми́ло**

ムィーロ

男 **рушни́к**

ルシュヌィーク

中 **дзе́ркало**

ゼールカロ

039

0381	☐	家事	housework
0382	☐	掃除	cleaning
0383	☐	掃除機	vacuum cleaner
0384	☐	ほうき	broom
0385	☐	洗剤	detergent
0386	☐	スポンジ	sponge
0387	☐	バケツ	bucket
0388	☐	電気，電力	electricity
0389	☐	スイッチ	switch
0390	☐	コンセント	outlet

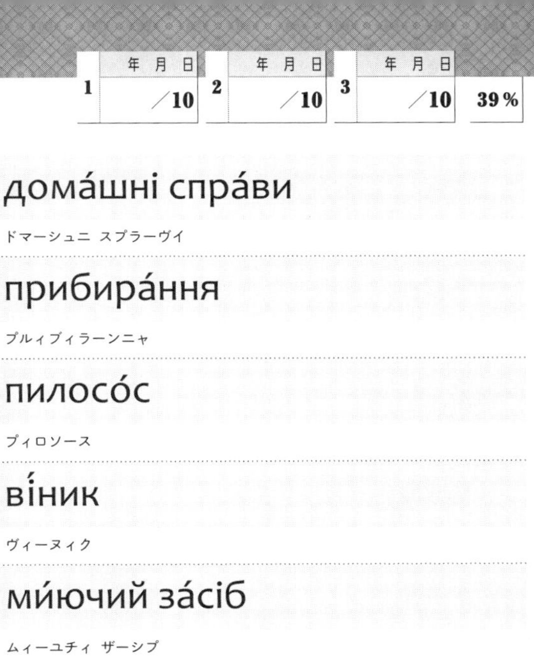

1 年 月 日 ／10　2 年 月 日 ／10　3 年 月 日 ／10　39％

複 **домáшні спрáви**

ドマーシュニ スプラーヴイ

中 **прибирáння**

プルィブィラーンニャ

男 **пилосóс**

プィロソース

男 **ві́ник**

ヴィーヌィク

男 **ми́ючий зáсіб**

ムィーユチィ ザーシプ

女 **мочáлка**

モチャールカ

中 **відрó**

ヴィドロー

女 **елéктрика**

エレークトルィカ

男 **вимикáч**

ヴイムィカーチ

女 **розéтка**

ロゼートカ

040

0391 □	洗濯	laundry
0392 □	洗濯機	washing machine
0393 □	アイロン	iron
0394 □	冷蔵庫	refrigerator
0395 □	電子レンジ	microwave
0396 □	フライパン	frying pan
0397 □	鍋	pot
0398 □	やかん，急須	kettle
0399 □	缶	can
0400 □	瓶，ボトル	bottle

中 **прання́**

プランニャー

女 **пра́льна маши́на**

プラールナ マシィーナ

女 **пра́ска**

プラースカ

男 **холоди́льник**

ホロディーリヌィク

女 **мікрохвильова́ піч**

ミクロフヴィリョワー ピーチ

女 **сковорода́**

スコヴォロダー

女 **кастру́ля**

カストルゥーリャ

男 **ча́йник**

チャーイヌィク

女 **ба́нка**

バーンカ

女 **пля́шка**

プリャーシュカ

041

0401 □	食器	tableware
0402 □	スプーン	spoon
0403 □	フォーク	fork
0404 □	ナイフ，包丁	knife
0405 □	皿	plate
0406 □	グラス	glass
0407 □	カップ	cup
0408 □	ボウル，深皿	bowl
0409 □	ナプキン	napkin
0410 □	箱	box

◆前者の単語は「包装用の箱」，後者は「物を収納したり運んだりする箱」を指す。

1	年　月　日 ／10	2	年　月　日 ／10	3	年　月　日 ／10	41 %

男 **по́суд**
ポースゥド

女 **ло́жка**
ローシュカ

女 **виде́лка**
ヴィデールカ

男 **ніж**
ニージュ

女 **тарі́лка**
タリールカ

女 **скля́нка**
スクリャーンカ

女 **ча́шка**
チャーシュカ

女 **ми́ска**
ムィスカ

女 **серве́тка**
セルヴェートカ

女, 男 **коро́бка, я́щик**
コローブカ，　ヤーシチク

042

0411 □ 食事 meal

0412 □ 朝食 breakfast

0413 □ 昼食 lunch

0414 □ 夕食 dinner

0415 □ パン bread

0416 □ 米 rice

0417 □ 小麦粉 flour

◆「小麦」は пшени́ця〖女〗プシェヌィーツャ。

0418 □ 卵 egg

0419 □ チーズ cheese

0420 □ バター butter

◆「油」は ма́сло〖中〗マースロ。

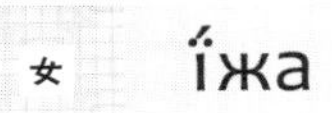

女 **ї́жа**
イィージァ

男 **сніда́нок**
スニダーノク

男 **обі́д**
オビード

女 **вече́ря**
ヴェチェーリャ

男 **хліб**
フリーブ

男 **рис**
ルィース

中 **бо́рошно**
ボーロシュノ

中 **яйце́**
ヤィツェー

男 **сир**
スィール

中 **вершко́ве ма́сло**
ヴェルシュコーヴェ マースロ

043

0421 ☐ 肉　《食肉》 — meat

0422 ☐ 魚　《食用》 — fish

0423 ☐ 貝　《食用》 — shellfish

0424 ☐ 野菜 — vegetable

0425 ☐ 豆 — bean [beans]

◆もともと「いんげん豆」という意味。

0426 ☐ キノコ — mushroom

◆複数形がよく用いられる。

0427 ☐ イカ — squid

◆「タコ」は восьмині́г〚男〛ヴォシムィニーフ。

0428 ☐ カニ — crab

0429 ☐ ハム — ham

0430 ☐ ソーセージ — sausage

中 **м'ясо**

ムヤーソ

女 **ри́ба**

ルィーバ

男 **молю́ск**

モリュースク

複 **о́вочі**

オーヴォチ

女 **квасо́ля**

クヴァソーリャ

男/男複 **гриб ／ грибі́**

フルィープ ／ フルィビー

男 **кальма́р**

カリマール

男 **краб**

クラープ

女 **ши́нка**

シィーンカ

女 **ковбаса́**

コウバサー

0431 □	トマト	tomato
0432 □	じゃがいも	potato
0433 □	にんじん	carrot
0434 □	タマネギ	onion
0435 □	キャベツ	cabbage
0436 □	カボチャ	pumpkin
0437 □	とうもろこし	corn
0438 □	きゅうり	cucumber
0439 □	にんにく	garlic
0440 □	ビーツ	beets

男 **помідо́р**

ポォミドール

女 **карто́пля**

カルトープリャ

女 **мо́рква**

モールクヴァ

女 **цибу́ля**

ツィブゥーリャ

女 **капу́ста**

カプゥースタ

男 **гарбу́з**

ハルブゥーズ

女 **кукуру́дза**

ククルーザ

男 **огіро́к**

オヒローク

男 **часни́к**

チャスヌィーク

男 **буря́к**

ブリャーク

045

0441 □	果物	fruit [fruits]

◆ 通常複数形を用いる。

0442 □	りんご	apple
0443 □	ぶどう	grape
0444 □	さくらんぼ	cherry
0445 □	いちご	strawberry
0446 □	もも	peach
0447 □	レモン	lemon
0448 □	オレンジ	orange
0449 □	バナナ	banana
0450 □	ブルーベリー	blueberry

男/男複 **фру́кт ／ фру́кти**
フルゥークト ／ フルゥークティ

中 **я́блуко**
ヤーブルコ

男 **виногра́д**
ヴィノフラード

女 **ви́шня**
ヴイーシュニャ

女 **полуни́ця**
ポルヌィーツャ

男 **пе́рсик**
ペールスィク

男 **лимо́н**
リィモーン

男 **апельси́н**
アペルスィーン

男 **бана́н**
バナーン

女 **чорни́ця**
チョルヌィーツャ

046

0451 ☐	スイーツ，お菓子	sweet [sweets]
0452 ☐	ケーキ	cake
0453 ☐	クッキー	cookie
0454 ☐	アイスクリーム	ice cream
0455 ☐	クリーム	cream
0456 ☐	チョコレート	chocolate
0457 ☐	飴	candy
0458 ☐	調味料	seasoning
0459 ☐	砂糖	sugar
0460 ☐	塩	salt

複 **со́лодощі**

ソーロドシュチ

男 **торт**

トールト

中 **пе́чиво**

ペーチヴォ

中 **моро́зиво**

モローズィヴォ

男 **крем**

クレーム

男 **шокола́д**

ショコラード

女 **цуке́рка**

ツケールカ

女 **припра́ва**

プルィプラーヴァ

男 **цу́кор**

ツーコル

女 **сіль**

スィーリ

047

0461 □ 酢 vinegar

0462 □ コショウ pepper

◈「唐辛子」や「ピーマン」という意味でも使う。

0463 □ スパイス spice

◈ 通常複数形を用いる。

0464 □ マスタード mustard

0465 □ ソース sauce

0466 □ ジャム jam

0467 □ 飲み物 drink

0468 □ 水 water

0469 □ ミネラルウォーター mineral water

0470 □ ジュース juice

1	年 月 日 ／10	2	年 月 日 ／10	3	年 月 日 ／10	47％

男 **о́цет**

オーツェト

男 **пе́рець**

ペーレツ

女/女複 **спе́ція ／ спе́ції**

スペーツィヤ ／ スペーツィイ

女 **гірчи́ця**

ヒルチィーツャ

男 **со́ус**

ソーウス

中 **варе́ння**

ヴァレーンニャ

男 **напі́й**

ナピーイ

女 **вода́**

ヴォダー

女 **мінера́льна вода́**

ミネラールナ ヴォダー

男 **сік**

スィーク

048

0471
☐ ビール　beer

◆「アルコール」は алкого́ль〖男〗アルコホーリ。

0472
☐ ワイン　wine

0473
☐ シャンパン　champagne

0474
☐ ウォッカ　vodka

0475
☐ コーヒー　coffee

0476
☐ 紅茶　tea

0477
☐ 牛乳　milk

0478
☐ レストラン　restaurant

0479
☐ カフェ　café

0480
☐ メニュー　menu

1	年 月 日 ／10	2	年 月 日 ／10	3	年 月 日 ／10	48%

中 пи́во
プィーヴォ

中 вино́
ヴィノー

中 шампа́нське
シャンパーンスケ

女 горі́лка
ホリールカ

女 ка́ва
カーヴァ

男 чай
チャーイ

中 молоко́
モロコー

男 ресторáн
レストラーン

中不変 кафе́
カフェー

中不変 меню́
メニュー

049

0481 □	料理	cooking
0482 □	前菜	appetizer
0483 □	スープ	soup
0484 □	サラダ	salad
0485 □	メインディッシュ	main dish
0486 □	デザート	dessert
0487 □	料理人	cook
0488 □	接客係 〖男／女〗	server
0489 □	注文	order
0490 □	伝票	check

1	年 月 日 ／10	2	年 月 日 ／10	3	年 月 日 ／10	49%

中 **готува́ння**

ホトゥヴァーンニャ

女 **заку́ска**

ザクゥースカ

男 **суп**

スープ

男 **сала́т**

サラート

女 **головна́ стра́ва**

ホロヴナー ストラーヴァ

男 **десе́рт**

デセールト

男 **ку́хар**

クゥーハル

男/女 **офіціа́нт ／ офіціа́нтка**

オフィツィアーント ／ オフィツィアーントカ

中 **замо́влення**

ザモーヴレンニャ

男 **раху́нок**

ラフーノク

050

0491 □	店	shop
0492 □	売店，キオスク	kiosk
0493 □	市場	market
0494 □	スーパーマーケット	supermarket
0495 □	デパート	department store
0496 □	パン屋	bakery
0497 □	お菓子屋	confectionery
0498 □	本屋，書店	bookstore
0499 □	（買い物）客	customer
0500 □	店員	salesperson

男 **магазúн**

マハズィーン

男 **кióск**

キオースク

男 **рúнок**

ルィーノク

男 **супермáркет**

スゥペルマールケト

男 **універмáг**

ウニヴェルマーフ

女 **пекáрня**

ペカールニャ

女 **кондúтерська**

コンディーテルスカ

男 **книжкóвий магазúн**

クネシュコーヴィ マハズィーン

男 **покупéць**

ポクペーツ

男 **продавéць**

プロダヴェーツ

051

0501 ☐	買い物	shopping
0502 ☐	値段	price
0503 ☐	値引き，割引	discount
0504 ☐	セール	sale
0505 ☐	現金	cash
0506 ☐	クレジットカード	credit card
0507 ☐	おつり	change
0508 ☐	チップ	tip
0509 ☐	領収書	receipt

◆「レシート」は чек〖男〗チェーク。

0510 ☐	レジ	register

中 **шо́пінг**

ショーピンフ

女 **ціна́**

ツィナー

女 **зни́жка**

ズニーシュカ

男 **розпро́даж**

ロズプローダシュ

女 **готі́вка**

ホチーフカ

女 **креди́тна ка́ртка**

クレディートナ カールトカ

女 **ре́шта**

レーシュタ

複 **чайові́**

チャイオヴィー

女 **квита́нція**

クヴィターンツィヤ

女 **ка́са**

カーサ

052

0511 □	お金	money
0512 □	紙幣	bill
0513 □	硬貨	coin
0514 □	（外貨）両替	currency exchange
0515 □	振り込み	transfer
0516 □	銀行	bank
0517 □	郵便局	post office
0518 □	ポスト	mailbox
0519 □	切手	stamp
0520 □	はがき	postcard

複 **гро́ші**

フローシ

女 **купю́ра**

クピューラ

女 **моне́та**

モネータ

男 **обмі́н валю́ти**

オブミーン ヴァリューティ

男 **грошови́й пере́каз**

フロショヴィー ペレーカス

男 **банк**

バンク

女 **по́шта**

ポーシュタ

女 **пошто́ва скри́нька**

ポシュトーヴァ スクルィーンカ

女 **ма́рка**

マールカ

女 **листі́вка**

リスチーフカ

053

0521 ☐	手紙	letter
0522 ☐	小包	parcel
0523 ☐	速達	express
0524 ☐	航空便	airmail
0525 ☐	受取人　〚男／女〛	recipient
0526 ☐	差出人　〚男／女〛	sender
0527 ☐	名前，ファーストネーム	first name
0528 ☐	苗字，姓	last name
0529 ☐	電話番号	telephone number
0530 ☐	身分証明書	identification

男 лист

リースト

女 посúлка

ポスィールカ

女 експрéс-пóшта

エクスプレース ポーシュタ

女 авіапóшта

アヴィアポーシュタ

男/女 одéржувач ／ одéржувачка

オデールジュヴァチ ／ オデールジュヴァチカ

男/女 відпрáвник ／ відпрáвниця

ヴィドプラーヴヌィク ／ ヴィドプラーヴニツャ

中 ім'я́

イムヤー

中 прі́звище

プリーズヴィシチェ

男 нóмер телефóну

ノーメル テレフォーヌ

中 посві́дчення осóби

ポスヴィーチェンニャ オソーブィ

054

0531 ☐	交通， 輸送	transport
0532 ☐	通り	street
0533 ☐	大通り	avenue
0534 ☐	角〈かど〉	corner
0535 ☐	交差点	intersection
0536 ☐	横断歩道	crosswalk
0537 ☐	信号（機）	traffic light
0538 ☐	停留所	stop
0539 ☐	橋	bridge
0540 ☐	歩行者 〚男／女〛	pedestrian

男 **тра́нспорт**

トラーンスポルト

女 **ву́лиця**

ヴゥールィツャ

男 **проспе́кт**

プロスペークト

女 **ро́за, на розі**

ローザ, ナ ローズィ

中 **перехре́стя**

ペレフレースチャ

男 **перехі́д**

ペレヒード

男 **світлофо́р**

スヴィトロフォール

女 **зупи́нка**

ズピーンカ

男 **міст**

ミースト

男/女 **пішохі́д／пішохі́дка**

ピショヒード ／ ピショヒードカ

055

0541 □	車，自動車	car
0542 □	タクシー	taxi
0543 □	トラック	truck
0544 □	バス	bus
0545 □	自転車	bicycle, bike
0546 □	バイク	motorcycle
0547 □	駐車場	parking
0548 □	ガソリンスタンド	gas station
0549 □	高速道路	expressway
0550 □	渋滞	traffic jam

1 年 月 日	2 年 月 日	3 年 月 日	
／10	／10	／10	55％

男 **автомобі́ль**

アフトモビーリ

中不変 **таксі́**

タクスィー

女 **вантажі́вка**

ヴァンタジーフカ

男 **авто́бус**

アフトーブス

男 **велосипе́д**

ヴェロスィペード

男 **мотоци́кл**

モトツィークル

中 **паркува́ння**

パルクヴァーンニャ

女 **бензозапра́вка**

ベンゾザプラーフカ

女 **автостра́да**

アフトストラーダ

男 **зато́р**

ザトール

056

0551 □ 免許証 — license

0552 □ 乗客 〖男／女〗 — passenger

0553 □ 運転手 〖男／女〗 — driver

0554 □ 鉄道 — railroad

0555 □ 電車， 列車 — train

◆前者の単語は「近距離の電車」，後者は「長距離の電車」を指す。

0556 □ 急行列車 — express train

0557 □ 地下鉄 — subway

0558 □ 路面電車 — tram

0559 □ 駅 — station

0560 □ ターミナル駅 — terminal station

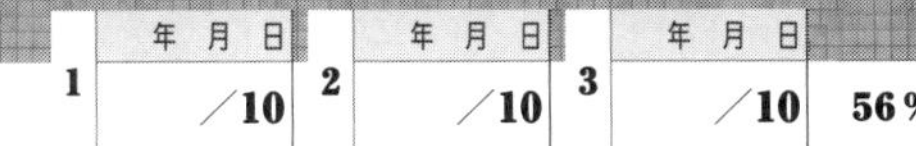

女 **лiцéнзiя**

リツェーンズィヤ

男/女 **пасажи́р / пасажи́рка**

パサジール ／ パサジールカ

男/女 **водíй / водíйка**

ヴォディーイ ／ ヴォディーイカ

女 **залiзни́ця**

ザリズヌィーツャ

女, 男 **електри́чка, пóтяг**

エレクトルィーチカ， ポーチャフ

男 **експрéс**

エクスプレース

中不変 **метрó**

メトロー

男 **трамвáй**

トラムヴァーイ

女 **стáнцiя**

スターンツィヤ

男 **вокзáл**

ヴォクザール

057

0561 □	プラットホーム	platform
0562 □	～番線	track
0563 □	切符，チケット	ticket
0564 □	運賃	fare
0565 □	券売機	ticket machine
0566 □	時刻表，時間割	time table
0567 □	路線	route
0568 □	乗り換え	transfer
0569 □	遅れ，遅延	delay
0570 □	船	ship

◆「小船，ボート」は чóвен〘男〙チョーヴェン。

女 платфо́рма

プラットフォールマ

男, 女 перо́н, путь

ペローン, プーチ

男 квито́к

クヴィトーク

女 пла́та за проі́зд

プラータ ザ プロイースド

男 квитко́вий автома́т

クヴィトコーヴィ アフトマート

男 ро́зклад

ロースクラド

男 маршру́т

マルシュルート

女 переса́дка

ペレサードカ

女 затри́мка

ザトルィームカ

男 корабе́ль

コラベーリ

058

0571
□ 港 port

◆ 前者の単語は「大規模な商業港」，後者は「小規模な港や漁港」を指す。

0572
□ 空港 airport

0573
□ パスポート passport

0574
□ 搭乗券 boarding pass

0575
□ スーツケース suitcase

0576
□ 手荷物 baggage

0577
□ 入国審査 passport control

0578
□ 保安検査 security check

0579
□ 税関 customs

0580
□ 検疫 quarantine

男, 女 **порт, га́вань**

ポォールト, ハーヴァニィ

男 **аеропо́рт**

アエロポールト

男 **па́спорт**

パースポォルト

男 **посадко́вий тало́н**

ポサドコーヴィ タローン

女, 男 **валі́за, чемода́н**

ヴァリーザ, チェモダーン

男 **бага́ж**

バハージュ

男 **па́спортний контро́ль**

パースポルトヌィ コントロール

男 **контро́ль безпе́ки**

コントローリ ベズペーキ

女 **ми́тниця**

ムィートヌィツャ

男 **каранти́н**

カランティーン

0581 ☐	飛行機	plane
0582 ☐	パイロット 〚男／女〛	pilot
0583 ☐	客室乗務員 〚男／女〛	flight attendant
0584 ☐	窓側の席	window seat
0585 ☐	通路側の席	aisle seat
0586 ☐	シートベルト	seat belt
0587 ☐	離陸	take off
0588 ☐	着陸	landing
0589 ☐	出発	departure
0590 ☐	到着	arrival

男 **літáк**

リターク

男/女 **льóтчик ／ льóтчиця**

リョーチック ／ リョーチッツャ

男/女 **стю́ард ／ стюардéса**

スチュアルド ／ スチュアルデーサ

中 **мі́сце бі́ля вікнá**

ミースツェ ビーリャ ヴィクナー

中 **мі́сце бі́ля прохóду**

ミースツェ ビーリャ プロホードゥ

男 **рéмінь безпéки**

レーミン ベズペーキ

男 **зліт**

ズリート

女 **посáдка**

ポサートカ

男 **від'ї́зд**

ヴィドイィースド

中 **прибуття́**

プルィブゥッチャー

060

0591 □ 外国 foreign country

0592 □ 外国人 〚男／女〛 foreign person

0593 □ ビザ visa

0594 □ 大使館 embassy

0595 □ 旅行 trip

0596 □ 観光 sightseeing

◆「観光ツアー」は екскурсíйний エクスクルスィーヌィイ。

0597 □ 観光客 〚男／女〛 tourist

0598 □ （観光）名所 tourist attraction

0599 □ 体験，経験 experience

0600 □ 思い出 memory

男

закордо́н

ザコルドーン

男/女

інозе́мець ／ інозе́мка

イノゼーメツ ／ イノゼームカ

女

ві́за

ヴィーザ

中

посо́льство

ポォソーリストヴォ

女

по́дорож

ポォードロシュ

女

екску́рсія

エクスクールスィヤ

男/女

тури́ст ／ тури́стка

トゥルィースト ／ トゥルィーストカ

女

визначна́ па́м'ятка

ヴィズナチナー パームャトカ

男

до́свід

ドースヴィド

男

спо́гад

スポーハド

061

0601 □	地図	map

◆「カード」という意味でも使う。

0602 □	ガイド	guide
0603 □	パッケージツアー	package tour
0604 □	列	line

◆ 図形的な「列，線」は лíнія〚女〛 リーニヤ。

0605 □	土産	souvenir
0606 □	中心街	downtown

◆「中心，中央」という意味でも使う。

0607 □	市役所，市庁舎	city
0608 □	教会	church
0609 □	城	castle
0610 □	塔，タワー	tower

女 **ма́па**

マーパ

男 **гід**

ヒード

男 **паке́тний тур**

パケートヌィ トゥール

女 **че́рга**

チェールハ

男 **сувені́р**

スゥヴェニール

男 **це́нтр**

ツェーントル

女 **ра́туша**

ラートゥシャ

女 **це́рква**

ツェールクワ

男 **за́мок**

ザーモク

女 **ве́жа**

ヴェージャ

062

0611 ☐	広場	square
0612 ☐	光，明かり	light
0613 ☐	公園	park
0614 ☐	噴水	fountain
0615 ☐	ベンチ	bench
0616 ☐	記念碑，モニュメント	monument
0617 ☐	建物，ビル	building
0618 ☐	ロビー	lobby
0619 ☐	エレベーター	elevator
0620 ☐	エスカレーター	escalator

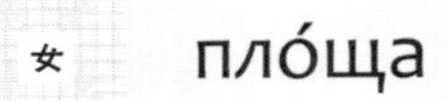
女 плóща

プローシチャ

中 свíтло

スヴィートロ

男 парк

パールク

男 фонтáн

フォンターン

女 лáвка

ラーフカ

男 пáм'ятник

パームャトヌィク

女 будíвля

ブディーヴリャ

中 фойє́

フォイエ

男 ліфт

リーフト

男 ескалáтор

エスカラートル

063

0621 □ ホテル — hotel

0622 □ フロント — front

0623 □ 予約 — reservation

◆ チケットなどの予約の場合は бронювáння 〚中〛 ブロニュヴァーンニャを用いる。

0624 □ キャンセル — cancel

0625 □ チェックイン — check in

0626 □ シングルルーム — single room

0627 □ ツインルーム — twin room

0628 □ 入口 — entrance

0629 □ 出口 — exit

0630 □ 非常口 《掲示》 — Emergency Exit

男 готе́ль

ホテーリ

女 адміністра́ція

アドミニストラーツィヤ

中 резервува́ння

レゼルヴゥヴァーンニャ

中 скасува́ння

スカスヴァーンニャ

女 реєстра́ція

レエストラーツィヤ

男 одномі́сний но́мер

オドノミースヌィ ノーメル

男 двомі́сний но́мер

ドヴォミースヌィ ノーメル

男 вхід

ヴヒード

男 ви́хід

ヴィーヒド

男 авар́ійний ви́хід

アヴァリーイヌィ ヴィーヒド

064

0631 ☐ 建築 architecture

◆「建設，工事」は будівни́цтво〖中〗ブゥディヴヌィーツトヴォ。

0632 ☐ 建築家 architect

0633 ☐ スポーツ sports

0634 ☐ (スポーツ) 選手 〖男／女〗 athlete

0635 ☐ チーム team

0636 ☐ コーチ，監督 coach

0637 ☐ 試合 match

0638 ☐ 決勝 final

0639 ☐ 勝利，勝ち victory

0640 ☐ 敗北，負け defeat

女 архітектýра

アルヒテクトゥーラ

男 архітéктор

アルヒテークトル

男 спорт

スポォールト

男/女 спортсмéн ／ спортсмéнка

スポォルツメーン ／ スポォルツメーンカ

女 комáнда

コマーンダ

男 трéнер

トレーネル

男 матч

マーッチ

男 фінáл

フィナール

女 перемóга

ペレモーハ

女 порáзка

ポラースカ

065

0641 □ スタジアム，競技場 — stadium

0642 □ オリンピック — Olympic

◆「パラリンピック」は Паралімпіáда〖女〗パラリンピアーダ。

0643 □ 野球 — baseball

0644 □ サッカー — soccer

0645 □ バレーボール — volleyball

0646 □ バスケットボール — basketball

0647 □ テニス — tennis

0648 □ 卓球 — table tennis

0649 □ 水泳 — swimming

0650 □ プール — pool

1	年 月 日 ／10	2	年 月 日 ／10	3	年 月 日 ／10	65％

男 стадіóн

スタディオーン

女 Олімпіáда

オリンピアーダ

男 бейсбóл

ベィスボール

男 футбóл

フゥトボール

男 волейбóл

ヴォレイボール

男 баскетбóл

バスケットボール

男 тéніс

テーニス

男 настíльний тéніс

ナスチーリヌィ テーニス

中 плáвання

プラーヴァンニャ

男 басéйн

バセーイン

066

0651 □ 体操 gymnastics

◆「新体操」は худóжня гімнáстика 〚女〛 フドージュニャ ヒムナースティカ。

0652 □ ダンス dance

◆「バレエ」は балéт 〚男〛 バレート。

0653 □ スキー ski

◆ 通常複数形を用いる。

0654 □ フィギュアスケート figure skating

0655 □ マラソン marathon

0656 □ サイクリング cycling

0657 □ 登山 mountaineering

0658 □ ハイキング hiking

0659 □ 散歩 walk

0660 □ 釣り fishing

1
年 月 日
／10
2
年 月 日
／10
3
年 月 日
／10
66％

女 гімна́стика

ヒムナースティカ

男 та́нець

ターネツィ

女/女複 ли́жа ／ ли́жі

ルィージァ ／ ルィージ

中 фігу́рне ката́ння

フィグールネ カターンニャ

男 марафо́н

マラフォーン

女 їзда́ на велосипе́ді

イズダー ナ ヴェロスィペーヂ

男 альпіні́зм

アルピニーズム

男 похі́д

ポヒード

女 прогу́лянка

プロフゥーリャンカ

女 рибо́ло́вля

ルィボローヴリャ

067

0661 □ 趣味，娯楽 hobby

◆「レクリエーション」は розвáга〘女〙ロズヴァーハ。

0662 □ 余暇，暇 leisure

0663 □ 興味深い，興味のある interesting

0664 □ 休暇 vacation

0665 □ 祝日，祭日 holiday

0666 □ パーティー party

0667 □ 招待 invitation

0668 □ 招待客〘男／女〙 guest

0669 □ 花束 bouquet

0670 □ プレゼント present

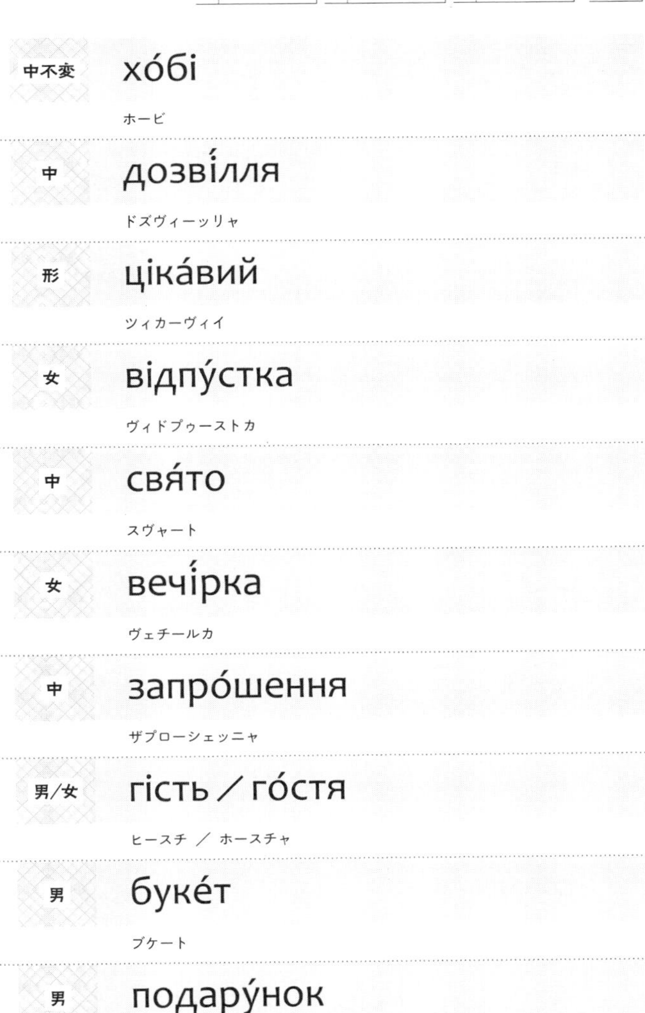

中不変 **хо́бі**

ホービ

中 **дозві́лля**

ドズヴィーッリャ

形 **ціка́вий**

ツィカーヴィイ

女 **відпу́стка**

ヴィドプゥーストカ

中 **свя́то**

スヴャート

女 **вечі́рка**

ヴェチールカ

中 **запро́шення**

ザプローシェッニャ

男/女 **гість / го́стя**

ヒースチ ／ ホースチャ

男 **буке́т**

ブケート

男 **подару́нок**

ポダルーノク

0671	針	needle
0672	糸	thread
0673	ミシン	sewing machine
0674	のこぎり	saw
0675	釘	nail
0676	ハンマー	hammer
0677	シャベル	shovel
0678	バラ	rose
0679	ヒマワリ	sunflower
0680	チューリップ	tulip

女 го́лка

ホールカ

女 ни́тка

ヌィートカ

女 шве́йна маши́на

シュヴェーイナ マシィーナ

女 пила́

プィラー

男 цвях

ツヴャフ

男 молото́к

モロトーク

女 лопа́та

ロパータ

女 троя́нда

トロヤーンダ

男 со́няшник

ソーニャシュヌィク

男 тюльпа́н

テュリパーン

069

0681 ☐ 映画 — movie

0682 ☐ 映画館 — movie theater

0683 ☐ 演劇， 劇場 — theater

0684 ☐ 舞台 — stage

◆「場面， シーン」という意味でも使う。

0685 ☐ 上演， 演出 — staging

0686 ☐ 俳優 〖男／女〗 — actor

0687 ☐ 演技， 演奏 — performance

◆行為としての「演技」は гра́ 〖女〗 フラー。

0688 ☐ サーカス — circus

0689 ☐ コンサート — concert

0690 ☐ クローク係 — cloakroom attendant

1	年 月 日 ／10	2	年 月 日 ／10	3	年 月 日 ／10	69 %

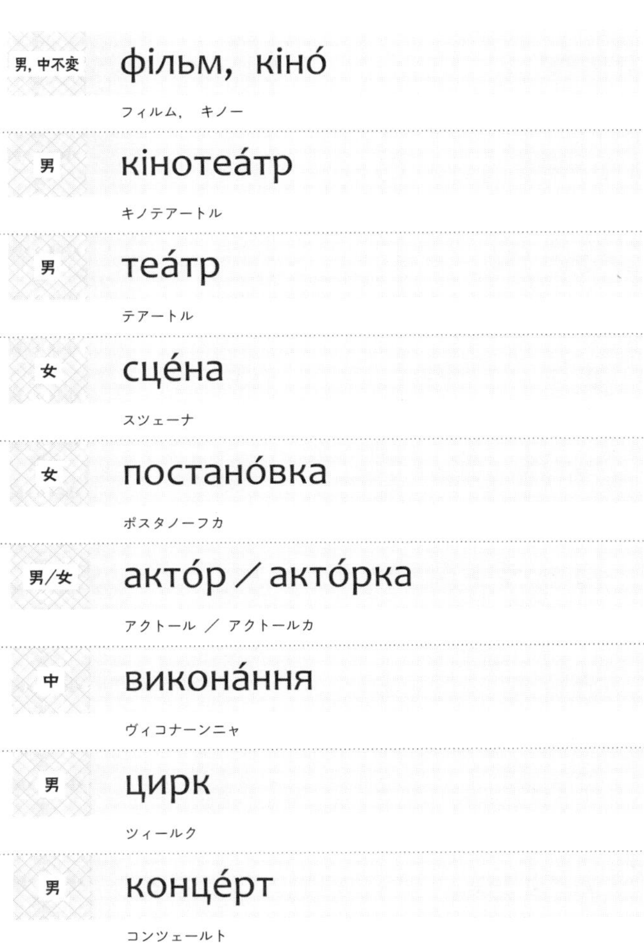

男, 中不変 **фільм, кінó**

フィルム, キノー

男 **кінотеáтр**

キノテアートル

男 **теáтр**

テアートル

女 **сцéна**

スツェーナ

女 **постанóвка**

ポスタノーフカ

男/女 **актóр / актóрка**

アクトール ／ アクトールカ

中 **виконáння**

ヴィコナーンニャ

男 **цирк**

ツィールク

男 **концéрт**

コンツェールト

女 **гардерóбник**

ハルデロープヌィク

070

0691 □ 音楽 music

0692 □ 音楽家 musician

0693 □ 歌 song

0694 □ 歌手 〚男／女〛 singer

0695 □ 指揮者 conductor

0696 □ オーケストラ orchestra

0697 □ 楽器 musical instrument

0698 □ ピアノ piano

0699 □ バイオリン violin

0700 □ ギター guitar

女 **му́зика**

ムゥーズィカ

男 **музика́нт**

ムゥズィカーント

女 **пі́сня**

ピースニャ

男/女 **співа́к ／ співа́чка**

スピヴァーク ／ スピヴァーチカ

男 **дириге́нт**

ディルィヘーント

男 **орке́стр**

オルケーストル

男 **музи́чний інструме́нт**

ムズィーチヌィ インストルメーント

中不変 **фортепіа́но**

フォルテピアーノ

女 **скри́пка**

スクルィープカ

女 **гіта́ра**

ヒターラ

071

0701 □ 芸術 art

0702 □ 文化，教養 culture

0703 □ 博物館，美術館 museum

0704 □ 展覧会 exhibition

0705 □ 作品 work

◆後者の単語は「仕事」という意味でも使う。

0706 □ テーマ，主題 theme

0707 □ コレクション，収集 collection

0708 □ 絵画 painting

0709 □ 画家 〘男／女〙 painter

0710 □ 彫刻 sculpture

中 **мисте́цтво**

ムィステーツトヴォ

女 **культу́ра**

クゥリトゥーラ

男 **музе́й**

ムゥゼーイ

女 **ви́ставка**

ヴィースタフカ

男, 女 **твір, робо́та**

トゥヴィール，　ロボータ

女 **те́ма**

テーマ

女 **коле́кція**

コレークツィヤ

女 **карти́на**

カルティーナ

男/女 **худо́жник ／ худо́жниця**

フドージュヌィク ／ フドージュニツャ

女 **скульпту́ра**

スクルプトゥーラ

072

0711 □ 写真 photograph

0712 □ カメラ camera

◆「映画やテレビ撮影に使われるカメラ」は ка́мера『女』カーメラ。

0713 □ 読書 reading

0714 □ 作家 『男／女』 writer

◆「著者（author）」は а́втор『男』アーフトル。

0715 □ 本 book

0716 □ （長編）小説 novel

◆「短編小説」は оповіда́ння『中』オポヴィダーンニャ。

0717 □ 雑誌 magazine

0718 □ 漫画 comic

0719 □ 新聞 newspaper

0720 □ 記事， 論文 article

女 **фотока́ртка**

フォトカールトカ

男 **фотоапара́т**

フォトアパラート

中 **чита́ння**

チターンニャ

男/女 **письме́нник ／ письме́нниця**

ピスメーンヌィク ／ ピスメーンニツャ

女 **кни́га**

クヌィーハ

男 **рома́н**

ロマーン

男 **журна́л**

ジュルナール

男 **ко́мікс**

コーミクス

女 **газе́та**

ハゼータ

女 **стаття́**

スタッチャー

073

0721 □ 記者，ジャーナリスト〘男／女〙 journalist

0722 □ 情報，報道 information

0723 □ 事実 fact

0724 □ 秘密，機密 secret

0725 □ ニュース news

◆複数形がよく用いられる。

0726 □ テレビ television

◆「テレビ放送」は телеба́чення〘中〙テレバーチェンニャ。

0727 □ ラジオ radio

◆「ラジオ放送」は радіомо́влення〘中〙ラディオモーヴレンニャ。

0728 □ 番組 program

◆「プログラム，計画」という意味でも使う。

0729 □ 広告 advertisement

0730 □ ストライキ strike

1
年 月 日
／10
2
年 月 日
／10
3
年 月 日
／10
73％

男/女 журналíст / журналíстка

ジュルナリースト ／ ジュルナリーストカ

女 інформáція

インフォルマーツィヤ

男 факт

ファークト

女 таємнúця

タイェムヌィーツャ

女/女複 новинá / новúни

ノヴィナー ／ ノヴィーヌィ

男 телевíзор

テレヴィーゾル

中不変 рáдіо

ラーディオ

女 прогрáма

プロフラーマ

女 реклáма

レクラーマ

男 страйк

ストラーイク

074

0731 □ 電話 phone

0732 □ スマートフォン smartphone

0733 □ デスクトップパソコン desktop (computer)

0734 □ ノートパソコン laptop (computer)

0735 □ インターネット internet

0736 □ メール e-mail

0737 □ ログイン login

◆「ログアウト」は ви́хід з систе́ми〖男〗 ヴィーヒド ズ スィステームィ。

0738 □ パスワード password

0739 □ 検索 search

0740 □ データ data

男 **телефóн**

テレフォーン

男 **смартфóн**

スマルトフォーン

男 **настíльний комп'ютер**

ナスチーリヌィ コンピューテル

男 **ноутбýк**

ノウトブーク

男 **Інтернéт**

インテルネート

女 **електрóнна пóшта**

エレクトローンナ ポーシュタ

男 **логíн**

ロヒーン

男 **парóль**

パローリ

男 **пóшук**

ポーシュク

複 **дáні**

ダーニ

 075

0741	学校	school
0742	幼稚園	kindergarten
0743	小学校	elementary school
0744	中学校	middle school
0745	高校	high school
0746	(総合) 大学	university
0747	クラス	class

◆「教室」という意味でも使う。

0748	教科書	textbook
0749	勉強	study
0750	教育, 教養	education

女 **шкóла**

シュコーラ

男 **дитя́чий садóк**

ディチャーチィ サドーク

女 **початкóва шкóла**

ポチャトコーヴァ シュコーラ

女 **серéдня шкóла**

セレードニャ シュコーラ

女 **стáрша шкóла**

スタールシャ シュコーラ

男 **університéт**

ウニヴェルスィテート

男 **клас**

クラース

男 **підрýчник**

ピドルゥーチヌィク

中 **навчáння**

ナフチャーンニャ

女 **освíта**

オスヴィータ

076

0751 ☐	先生 〖男／女〗	teacher
0752 ☐	教授	professor
0753 ☐	生徒 〖男／女〗	student
0754 ☐	大学生 〖男／女〗	university student
0755 ☐	寮	dormitory
0756 ☐	食堂	cafeteria
0757 ☐	図書館	library
0758 ☐	研究	research
0759 ☐	レポート	report
0760 ☐	知識	knowledge

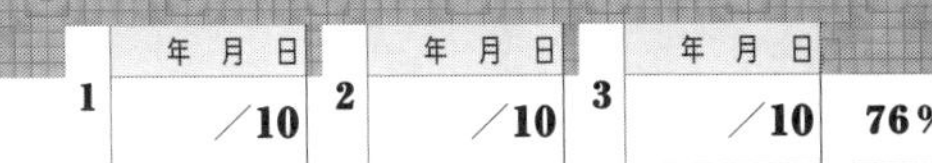

1
年 月 日
／10
2
年 月 日
／10
3
年 月 日
／10
76％

男/女 **вчи́тель／вчи́телька**

フチーテリ ／ フチーテリカ

男 **профе́сор**

プロフェーソル

男/女 **у́чень／учени́ця**

ウーチェニ ／ ウチェニーツァ

男/女 **студе́нт／студе́нтка**

ストゥデーント ／ ストゥデーントカ

男 **гурто́житок**

フルトージトク

女 **їда́льня**

イィダーリニャ

女 **бібліоте́ка**

ビブリオテーカ

中 **дослі́дження**

ドスリードジェンニャ

男 **зві́т**

ズヴィート

中 **знання́**

ズナンニャー

077

0761 □	（大学の）学部	faculty
0762 □	専攻，専門	major
0763 □	授業	lesson
0764 □	講義，講演	lecture
0765 □	ゼミ，演習	seminar
0766 □	出席	attendance
0767 □	欠席，不在	absence
0768 □	試験	exam
0769 □	成績《学業》	grade
0770 □	奨学金	scholarship

1	年　月　日　／10	2	年　月　日　／10	3	年　月　日　／10	77％

男 **факульте́т**
ファクゥリテート

女 **спеціа́льність**
スペツィアーリニスチ

男 **уро́к**
ウローク

女 **ле́кція**
レークツィァ

男 **семіна́р**
セミナール

女 **прису́тність**
プルィスゥートニスチ

女 **відсу́тність**
ヴィドスゥートニスチ

男 **екза́мен**
エグザーメン

女 **успі́шність**
ウスピーシュニスチ

女 **стипе́ндія**
ステペーンディヤ

078

0771 □ 発見 discover

0772 □ 結果 result

0773 □ 説明，解釈 explanation

0774 □ 練習（問題） exercise

0775 □ 質問，疑問 question

0776 □ 解答 answer

◆「返事」という意味でも使う。

0777 □ 誤り，間違い mistake

0778 □ なぜ why

0779 □ 宿題 homework

0780 □ 学習 learning

1	年 月 日 ／10	2	年 月 日 ／10	3	年 月 日 ／10	78％

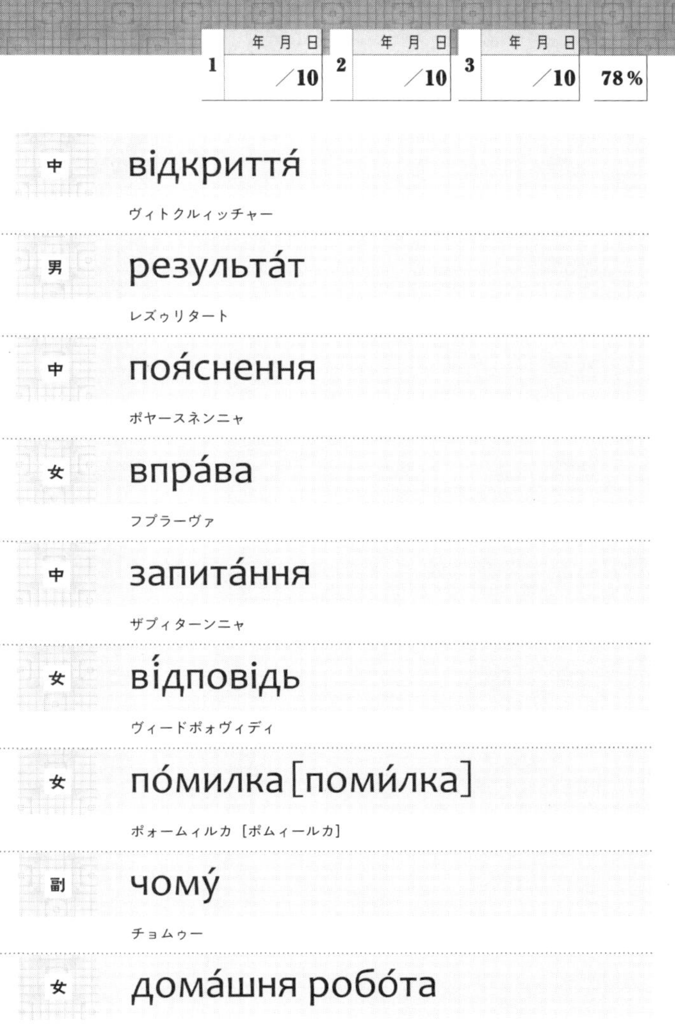

中 **відкриття́**

ヴィトクルィッチャー

男 **результа́т**

レズゥリタート

中 **поя́снення**

ポヤースネンニャ

女 **впра́ва**

フプラーヴァ

中 **запита́ння**

ザプィターンニャ

女 **ві́дповідь**

ヴィードポォヴィディ

女 **по́милка [поми́лка]**

ポォームィルカ ［ポムィールカ］

副 **чому́**

チョムゥー

女 **дома́шня робо́та**

ドマーシュニャ ロボータ

中 **ви́вчення**

ヴィーフチェッニャ

079

0781 ☐	化学	chemistry
0782 ☐	物理学	physics
0783 ☐	数学	math
0784 ☐	法学	jurisprudence
0785 ☐	哲学	philosophy
0786 ☐	文学，文献	literature
0787 ☐	歴史	history
0788 ☐	古代の	ancient
0789 ☐	中世の	medieval
0790 ☐	近代の，現代の	modern

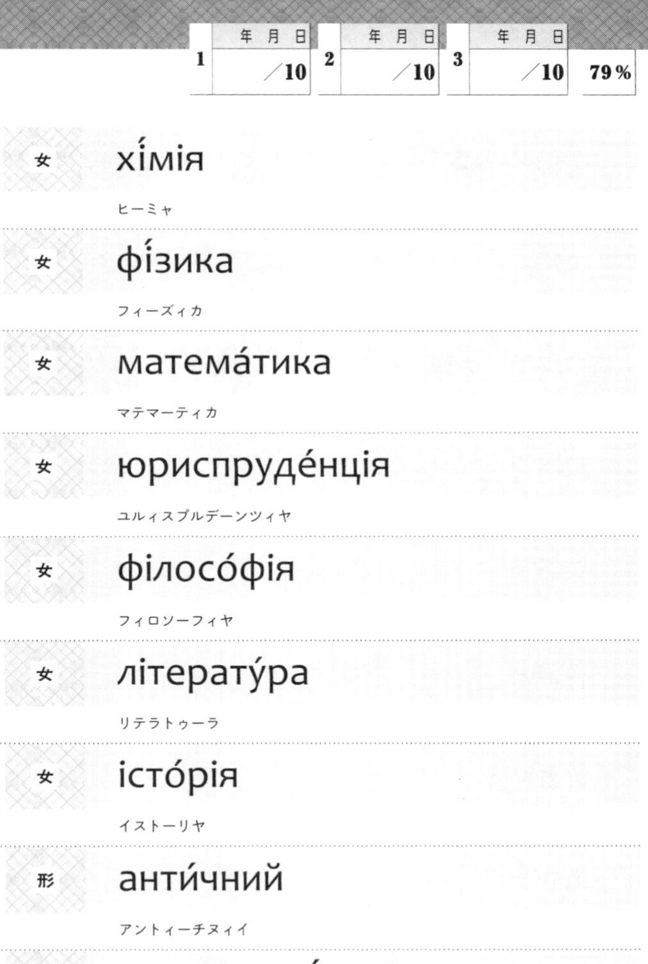

女 хі́мія
ヒーミャ

女 фі́зика
フィーズィカ

女 матема́тика
マテマーティカ

女 юриспруде́нція
ユルィスプルデーンツィヤ

女 філосо́фія
フィロソーフィヤ

女 літерату́ра
リテラトゥーラ

女 істо́рія
イストーリヤ

形 анти́чний
アントィーチヌィイ

形 середньові́чний
セレドニオヴィーチヌィイ

形 суча́сний
スゥチャースヌィイ

080

0791 ☐ 言語，言葉 language

0792 ☐ 文字 letter

0793 ☐ ウクライナ語 Ukrainian

0794 ☐ 日本語 Japanese

0795 ☐ 英語 English

0796 ☐ 外国の foreign

0797 ☐ 辞書 dictionary

0798 ☐ 意味 meaning

0799 ☐ 単語 word

◆「話，発言」など幅広い意味でも使う。

0800 ☐ 文 sentence

女 **мóва**

モーヴァ

女 **бýква**

ブゥークヴァ

女 **украї́нська мóва**

ウクライィーンスィカ モーヴァ

女 **япóнська мóва**

ヤポォーンスィカ モーヴァ

女 **англі́йська мóва**

アンフリーイスィカ モーヴァ

形 **інозéмний**

イノゼームヌィイ

男 **словни́к**

スロヴヌィーク

中 **знáчення**

ズナーチェンニャ

中 **слóво**

スローヴォ

中 **рéчення**

レーチェンニャ

081

0801 □	文法	grammar
0802 □	発音	pronunciation
0803 □	アクセント	accent
0804 □	方言	dialect
0805 □	例，見本	example
0806 □	紙	paper
0807 □	メモ	memo
0808 □	ノート	notebook
0809 □	ペン	pen
0810 □	インク	ink

女 грама́тика

フラマーティカ

女 вимо́ва

ヴィモーヴァ

男 на́голос

ナーホロス

男 діале́кт

ディアレークト

男 при́клад

プルィークラト

男 папі́р

パピール

女 запи́ска

ザプィースカ

男 зо́шит

ゾーシット

女 ру́чка

ルーチカ

中 чорни́ло

チョルヌィーロ

082

0811 ☐	鉛筆	pencil
0812 ☐	消しゴム	eraser
0813 ☐	定規	ruler
0814 ☐	はさみ	scissor [scissors]
0815 ☐	職業	job
0816 ☐	責任	responsibility
0817 ☐	会社	company
0818 ☐	支部，支店	branch
0819 ☐	オフィス，事務所	office
0820 ☐	企業，事業	enterprise

男 **олівéць**

オリヴェーツィ

女, 男 **гýмка, лáстик**

フームカ， ラースティク

女 **лінíйка**

リニィーイカ

複 **нóжиці**

ノージツィ

女 **профéсія**

プロフェースィヤ

女 **відповідáльність**

ヴィドポヴィダーリニスチ

女 **компáнія**

コムパーニヤ

女 **фíлія**

フィーリヤ

男 **óфіс**

オーフィス

中 **підприéмство**

ピドプルィイェームストヴォ

083

0821 □ 会社員 office worker

◆「アルバイト (part-time worker)」は підробіток 〖男〗 ピドロビートク。

0822 □ (現場) 労働者 laborer

0823 □ 公務員 government worker

0824 □ 秘書 〖男／女〗 secretary

0825 □ 通訳者 interpretation

0826 □ 上司 boss

0827 □ 同僚 〖男／女〗 colleague

0828 □ 出張 business trip

0829 □ 昇進 promotion

0830 □ 辞職 resignation

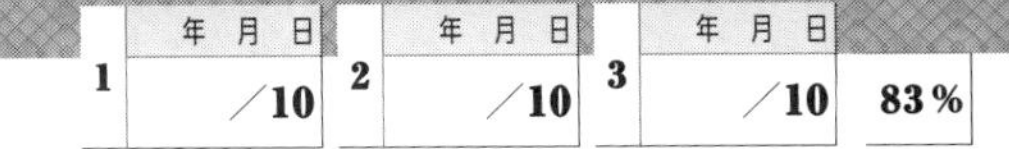

男 **службóвець**

スルジュボーヴェツ

男 **робітни́к**

ロビトヌィーク

男 **держáвний службóвець**

デルジァーヴヌィ スルジュボーヴェツ

男/女 **секретáр ／ секретáрка**

セクレタール ／ セクレタールカ

男 **перекладáч**

ペレクラダーチ

男 **начáльник**

ナチャーリヌィク

男女 **колéга**

コレーハ

中 **відря́дження**

ヴィドリャージェンニャ

中 **підви́щення**

ピドヴィーシェンニャ

女 **відстáвка**

ヴィドスターフカ

084

0831 □ 賃金 salary

0832 □ ボーナス bonus

0833 □ 支払い payment

0834 □ 休憩 break

◆「中断，停止」という意味でも使う。

0835 □ 会議 meeting

0836 □ 問題，難題 problem

0837 □ 理由，原因 reason

0838 □ 意見 opinion

0839 □ 批評，批判 criticism

0840 □ 決定，決心 decision

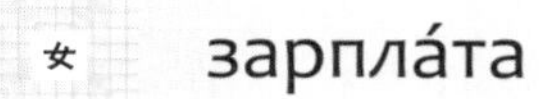

女 **зарпла́та**

ザルプラータ

女 **пре́мія**

プレーミヤ

男 **платі́ж**

プラチージュ

女 **пере́рва**

ペレールヴァ

女 **конфере́нція**

コンフェレーンツィヤ

女 **пробле́ма**

プロブレーマ

女 **причи́на**

プルィチーナ

女 **ду́мка**

ドゥームカ

女 **кри́тика**

クルィーティカ

中, 女 **рі́шення, рішу́чість**

リーシェンニャ， リシゥーチスチ

085

0841 □ 書類，文書 document

0842 □ 確認 confirmation

0843 □ 交渉 negotiation

0844 □ 合意，同意 agreement

0845 □ 契約，契約書 contract

0846 □ 署名，サイン signature

0847 □ 利益 profit

0848 □ 投資 investment

0849 □ 利子，利息 interest

◆「パーセント」という意味でも使う。

0850 □ 経済 economy

男 **доку́ме́нт**

ドクメーント

中 **підтве́рдження**

ピドトヴェールジェンニャ

複 **перегово́ри**

ペレホヴォールィ

女 **уго́да**

ウホーダ

男 **контра́кт**

コントラークト

男 **пі́дпис**

ピードプィス

男, 女 **прибу́ток, ви́года**

プルィブートク，　ヴィーホダ

女 **інвести́ція**

インヴェスティーツィヤ

男 **проце́нт**

プロツェーント

女 **еконо́міка**

エコノーミカ

0851 □	輸入	import
0852 □	輸出	export
0853 □	取引	transaction
0854 □	工業，産業	industry
0855 □	天然ガス	natural gas
0856 □	石油	petroleum
0857 □	石炭	coal
0858 □	鉄	iron
0859 □	鉄鋼，スチール	steel
0860 □	プラスチック	plastic

男 і́мпорт

イームポォルト

男 е́кспорт

エークスポォルト

男 правочи́н

プラヴォチーン

女 промисло́вість

プロムィスローヴィスチ

男 приро́дний газ

プルィロードヌィ ハース

女 на́фта

ナーフタ

中 кам'яне́ вугі́лля

カムヤネー ヴゥヒーッリャ

中 залі́зо

ザリーゾ

女 ста́ль

スターリ

男 пла́стик

プラースティク

087

0861 □ 工場 plant

0862 □ 商品，品物 product

0863 □ サンプル，見本 sample

0864 □ 質，品質 quality

0865 □ エンジニア engineer

0866 □ 農家 farmer

0867 □ 漁師，釣り人 fisherman

0868 □ 大工 carpenter

0869 □ 伝統，慣例 tradition

0870 □ 名人，達人 master

女，男 **фáбрика, завóд**

ファーブルィカ， ザヴォード

男 **товáр**

トヴァール

男 **зразóк**

ズラゾーク

女，男 **я́кість, сорт**

ヤーキスティ， ソールト

男 **інженéр**

インジェネール

男 **фéрмер**

フェールメル

男女 **рибáлка**

ルィバールカ

男 **тесля́р**

テスリャール

女 **тради́ція**

トラディーツィヤ

男 **мáйстер, експéрт**

マーイステル， エクスペールト

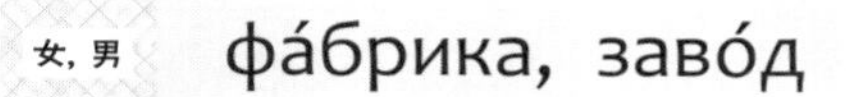

088

0871 □	宗教	religion
0872 □	キリスト教	Christianity
0873 □	イスラム教	Islam
0874 □	仏教	Buddhism
0875 □	聖書	Bible
0876 □	聖職者，司祭	priest
0877 □	神／女神	God／Goddess
0878 □	世界	world
	◆「地球，宇宙」という意味でも使う。	
0879 □	国，国家	country
0880 □	国民，民衆	people

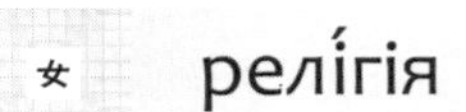

女 **релі́гія**

レリーヒヤ

中 **христия́нство**

フルィスティヤーンストヴォ

男 **іслáм**

イスラーム

男 **будди́зм**

ブゥッディーズム

女 **Бі́блія**

ビーブリヤ

男 **свяще́ник**

スヴャシェーンヌィク

男/女 **Бог ／ боги́ня**

ボォフ ／ ボフィーニャ

男 **світ**

スヴィート

女 **краї́на**

クライィーナ

男 **наро́д**

ナロード

089

0881 □	国家	nation
0882 □	国籍	nationality
0883 □	住民，住人	inhabitant
0884 □	人口	population
0885 □	首都	capital
0886 □	都市，都会	city
0887 □	村	village
0888 □	国境	border
0889 □	領土	territory
0890 □	母国	homeland

◆ 頭文字を大文字で示すこともある。

女 **держáва**

デルジァーヴァ

中 **громадя́нство**

フロマデャーンストヴォ

男 **мéшканець**

メーシュカネツ

中 **насéлення**

ナセーレンニャ

女 **столи́ця**

ストルィーツャ

中 **мíсто**

ミースト

中 **селó**

セロー

男 **кордóн**

コルドーン

女 **теритóрія**

テルィトーリヤ

女 **батьківщи́на**

バティキヴッシィーナ

090

0891 □ 日本 Japan

◆「日本人」は（男性）япóнець〖男〗ヤポォーネツィ／（女性）япóнка〖女〗ヤポォーンカ。

0892 □ ウクライナ Ukraine

0893 □ キーウ Kiev

◆ ウクライナの首都。

0894 □ アメリカ／アメリカ合衆国 The U.S.

0895 □ ヨーロッパ Europe

0896 □ 共和国 republic

0897 □ 政治，政策 politics

0898 □ 政府 government

0899 □ 国会，議会 parliament

0900 □ 政党，党派 political party

女 Япо́нія

ヤポォーニャ

女 Украї́на

ウクライィーナ

男 Київ

クイーィフ

女, 男複 Аме́рика, США

アメールィカ, スシャァ

女 Євро́па

イェヴローパ

女 респу́бліка

レスプゥーブリカ

女 полі́тика

ポォリーティカ

男 у́ряд

ウーリャド

男 парла́мент

パルラーメント

女 па́ртія

パールティヤ

091

0901 ☐	民主主義	democracy
0902 ☐	社会主義	socialism
0903 ☐	共産主義	communism
0904 ☐	資本主義	capitalism
0905 ☐	法，法律	law
0906 ☐	憲法	constitution
0907 ☐	社会	society
0908 ☐	選挙	election
0909 ☐	候補者	candidate
0910 ☐	投票	vote

1	年　月　日 ／10	2	年　月　日 ／10	3	年　月　日 ／10	91％

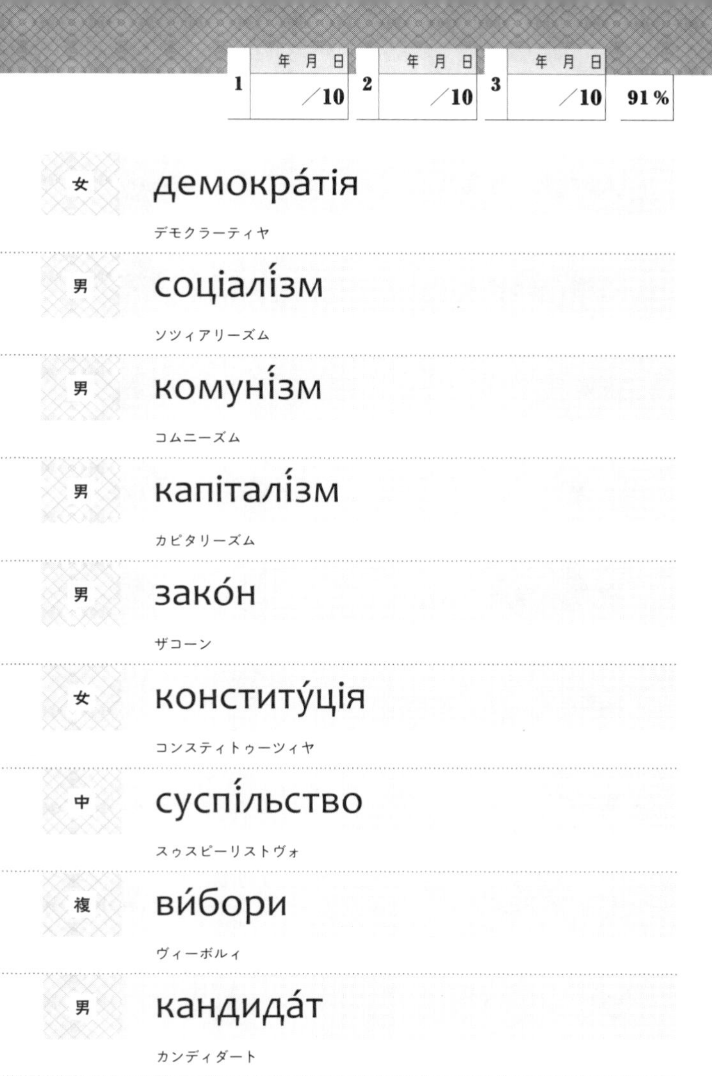

女 **демокра́тія**
デモクラーティヤ

男 **соціалі́зм**
ソツィアリーズム

男 **комуні́зм**
コムニーズム

男 **капіталі́зм**
カピタリーズム

男 **зако́н**
ザコーン

女 **конститу́ція**
コンスティトゥーツィヤ

中 **суспі́льство**
スゥスピーリストヴォ

複 **ви́бори**
ヴィーボルィ

男 **кандида́т**
カンディダート

中 **голосува́ння**
ホロスゥヴァーンニャ

092

0911 □	大統領， 社長	president
0912 □	首相， 総理大臣	prime minister, premier
0913 □	大臣	minister
0914 □	議員	representative
0915 □	権力， 当局	authority
0916 □	支配	control
0917 □	革命	revolution
0918 □	宣言， 布告	declaration
0919 □	独立	independence
0920 □	自由	freedom

男 **президе́нт**

プレズィデーント

男 **прем'є́р-міні́стр**

プレムイェール ミニーストル

男 **міні́стр**

ミニーストル

男 **депута́т**

デプゥタート

女 **вла́да**

ヴラーダ

中 **панува́ння**

パヌヴァーンニャ

女 **револю́ція**

レヴォリューツィヤ

女 **деклара́ція**

デクララーツィヤ

女 **незале́жність**

ネザレージュニスチ

女 **свобо́да**

スヴォボーダ

093

0921 □	理想	ideal
0922 □	現実	reality
0923 □	希望	hope
0924 □	絶望	despair
0925 □	可能性， 機会	possibility
0926 □	努力	effort
0927 □	忍耐， 我慢	patience
0928 □	勇気	bravery
0929 □	成功， 成果	success
0930 □	失敗， 不成功	failure

男 **іде́ал**

イデアール

女 **ді́йсність**

ディーイスニィスチ

女 **наді́я**

ナディーヤ

男 **ро́зпач**

ロースパチ

女 **можли́вість**

モジュルィーヴィスチ

中 **стара́ння**

スタラーンニャ

中 **терпі́ння**

テルピーンニャ

女 **хоро́брість**

ホローブリスチ

男 **у́спіх**

ウースピフ

女 **невда́ча**

ネヴダーチャ

094

0931 ☐	幸福，幸せ	fortune
0932 ☐	不幸，不運	misfortune
0933 ☐	安全な	safe
0934 ☐	危険な	dangerous
0935 ☐	大災害，惨事	catastrophe
0936 ☐	地震	earthquake
0937 ☐	台風	typhoon
0938 ☐	洪水，水害	flood
0939 ☐	火事	fire
0940 ☐	消防車	fire engine

中 **щáстя**

シチャースチャ

中 **нещáстя**

ネシチャースチャ

形 **безпéчний**

ベスペーチヌィイ

形 **небезпéчний**

ネベスペーチヌィイ

女 **катастрóфа**

カタストローファ

男 **землетрýс**

ゼムレトルゥース

男 **тайфýн**

タィフゥーン

女 **пóвінь**

ポーヴィニ

女 **пожéжа**

ポォジェージァ

女 **пожéжна машúна**

ポジェージュナ マシィーナ

095

0941 □	事件	incident
0942 □	事故	accident
0943 □	テロ	terrorism
0944 □	爆発	explosion
0945 □	犯罪	crime
0946 □	犯罪人	criminal
0947 □	殺人	murder
0948 □	泥棒 〖男／女〗	thief
0949 □	警察	police
0950 □	警察官	police officer

1	年 月 日	2	年 月 日	3	年 月 日	
	／10		／10		／10	95％

男 **інциде́нт**
インツィデーント

女 **ава́рія**
アヴァーリヤ

男 **теро́р**
テロール

男 **ви́бух**
ヴィーブフ

男 **зло́чин**
ズローチィン

男 **злочи́нець**
ズロチィーネツィ

中 **уби́вство, вби́вство**
ウブィーヴストヴォ， ヴブィーヴストヴォ

男/女 **зло́дій ／ зло́дійка**
ズローディイ ／ ズローディイカ

女 **полі́ція**
ポリーツィヤ

男 **поліце́йський**
ポリツェーイスクィイ

096

0951 ☐	戦争	war
0952 ☐	軍，軍隊	army
0953 ☐	兵士，軍人	soldier
0954 ☐	兵器，武器	weapon
0955 ☐	死者	the dead
0956 ☐	犠牲者	victim
0957 ☐	避難民，難民　〚男／女〛	refugee
0958 ☐	困難	difficulty
0959 ☐	貧困，貧乏	poverty
0960 ☐	不足，欠損	deficit

女 **війна́**

ヴィイナー

女 **а́рмія**

アールミヤ

男 **солда́т**

ソルダート

女 **збро́я**

ズブローヤ

男 **небі́жчик**

ネビーシュチク

女 **же́ртва**

ジェールトヴァ

男/女 **бі́женець ／ бі́женка**

ビージェネツ ／ ビージェンカ

女 **тру́дність**

トルゥードニスチ

女 **бі́дність**

ビードニスチ

女, 男 **недоста́ча, дефіци́т**

ネドスターチャ， デフィツィート

097

0961 ☐ 裁判所，法廷 court

0962 ☐ 検察官，検事 prosecutor

0963 ☐ 弁護士 lawyer

0964 ☐ 有罪の guilty

◆「無罪の」は неви́нний 『形』 ネヴィーンヌィイ。

0965 ☐ 形，形式 form

0966 ☐ サイズ，大きさ size

0967 ☐ 丸い round

0968 ☐ 円 《図形》 circle

0969 ☐ 三角形 triangle

0970 ☐ 正方形 square

男 **суд**

スゥト

男 **прокуро́р**

プロクゥロール

男 **адвока́т**

アドヴォカート

形 **ви́нний**

ヴィーンヌィイ

女 **фо́рма**

フォールマ

男 **ро́змір**

ローズミル

形 **кру́глий**

クルゥーフルィイ

中 **ко́ло**

コーロ

男 **трику́тник**

トルィクゥートヌィク

男 **квадра́т**

クワドラート

0971 □ 計算 calculation

0972 □ 数，番号 number

◆ 数字の表現は p.208 ～ 209 を参照。

0973 □ 合計，総数 sum

0974 □ 平均的な average

0975 □ 半分，2 分の 1，30 分 half

0976 □ 4 分の 1，15 分 quarter

0977 □ 差，違い difference

0978 □ 余り，残り remainder

0979 □ 身長，背 height

0980 □ 体重，重さ weight

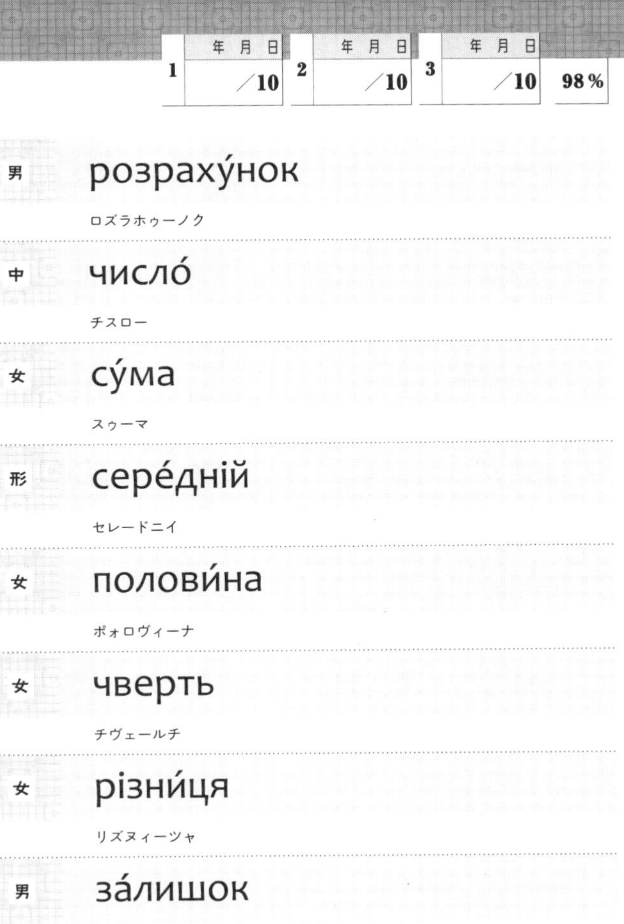

1	年 月 日 ／10	2	年 月 日 ／10	3	年 月 日 ／10	98％

男 **розраху́нок**

ロズラホゥーノク

中 **число́**

チスロー

女 **су́ма**

スゥーマ

形 **сере́дній**

セレードニイ

女 **полови́на**

ポォロヴィーナ

女 **чверть**

チヴェールチ

女 **різни́ця**

リズヌィーツャ

男 **за́лишок**

ザールィショク

男 **зрі́ст**

ズリースト

女 **вага́**

ヴァハー

099

0981 □ メートル meter

0982 □ グラム gram

0983 □ リットル liter

0984 □ 高い high

◆「(値段が) 高い」は дорогúй 〖形〗 ドロフィーイ。

0985 □ 低い low

◆「安い」は дешёвий 〖形〗 デシェーヴィイ。

0986 □ 重い heavy

0987 □ 軽い light

0988 □ 大きい，多い big, large

0989 □ 小さい，少ない small, little

0990 □ かわいい，愛しい cute

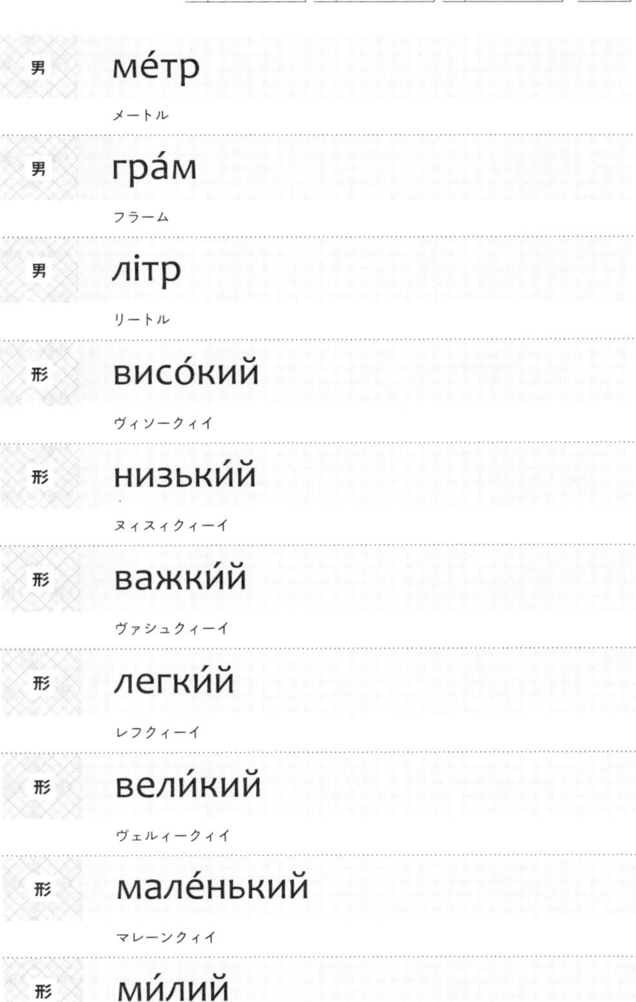

男 **ме́тр**

メートル

男 **гра́м**

フラーム

男 **літр**

リートル

形 **висо́кий**

ヴィソークィイ

形 **низьки́й**

ヌィスィクィーイ

形 **важки́й**

ヴァシュクィーイ

形 **легки́й**

レフクィーイ

形 **вели́кий**

ヴェルィークィイ

形 **мале́нький**

マレーンクィイ

形 **ми́лий**

ムィールィイ

0991
☐ 長い — long

0992
☐ 短い — short

0993
☐ （幅が）広い — wide

0994
☐ （幅が）狭い — narrow

0995
☐ おいしい — delicious

◆「よい」は до́бре〚副〛ドーブレ。

0996
☐ まずい — not delicious, bad

◆「悪い」は пога́но〚副〛ポハーノ。

0997
☐ 甘い — sweet

0998
☐ しょっぱい — salty

0999
☐ すっぱい — sour

1000
☐ 苦い，つらい — bitter

1
年 月 日
／10
2
年 月 日
／10
3
年 月 日
／10
100％

形 **до́вгий**

ドーヴフィイ

形 **коро́ткий**

コロートクィイ

形 **широ́кий**

シィロークィイ

形 **вузьки́й**

ヴゥスィクィーイ

形 **смачни́й**

スマチヌィーイ

形 **несмачни́й**

ネスマチヌィーイ

形 **соло́дкий**

ソロートクィイ

形 **соло́ний**

ソローヌィイ

形 **ки́слий**

クィースルィイ

形 **гірки́й**

ヒルクィーイ

101

月と曜日，時の言い方

1月	男	сі́чень	シーチェニ
2月	男	лю́тий	リューティイ
3月	男	бе́резень	ベーレゼニ
4月	男	кві́тень	クヴィーテニ
5月	男	тра́вень	トラーヴェニ
6月	男	че́рвень	チェールヴェニ
7月	男	ли́пень	ルィーペニ
8月	男	се́рпень	セールペニ
9月	男	ве́ресень	ヴェーレセニ
10月	男	жо́втень	ジョーフテニ
11月	男	листопа́д	ルィストパート
12月	男	гру́день	フルゥーデニィ

103

先月	男	мину́лий мі́сяць ムィヌールィ　ミースャツィ
来月 来年	男	насту́пний мі́сяць ナストゥープヌィ　ミースャツィ насту́пний рік ナストゥープヌィ　リーク
毎日 毎月 毎年	男	ко́жен день コージェン　デーニィ ко́жен мі́сяць コージェン　ミースャツィ ко́жен рік コージェン　リーク

102

月曜日	男	понеді́лок	ポネヂーロク
火曜日	男	вівто́рок	ヴィフトーロク
水曜日	女	середа́	セレダー
木曜日	男	четве́р	チェトヴェール
金曜日	女	п'я́тниця	プィヤートヌィツャ
土曜日	女	субо́та	スボータ
日曜日	女	неді́ля	ネヂーリャ

104

今週	男	цей ти́ждень ツェイ　ティージュデニィ
先週	男	мину́лий ти́ждень ムィヌールィ　ティージュデニィ
来週	男	насту́пний ти́ждень ナストゥープヌィ　ティージュデニィ
週末	男	кіне́ць ти́жня キネーツ　ティージュニャ
今月 今年	男	цей мі́сяць ツェイ　ミースャツィ цей рік ツェイ　リーク
昨年	男	мину́лий рік ムィヌールィ　リーク
昨晩	副	вчо́ра вве́чері フチョーラ　フェーチェリ
毎朝	副	щора́нку シチョラーンクゥ

105

数字の言い方

0	男 нуль	ヌーリ
1	男 оди́н　女 одна́ 中 одне́, одно́　複 одні́	オディーン ／ オドナー オドネー，オドノー ／ オドニー
2	男・中 два　女 дві	ドヴァー ／ ドヴィー
3	три	トルィー
4	чоти́ри	チョティールィ
5	п'ять	プィヤーチ
6	шість	シースチ
7	сім	スィーム
8	ві́сім	ヴィースィム
9	де́в'ять	デーヴヤチ
10	де́сять	デーシャチ
11	одина́дцять	オディナーツャチ
12	двана́дцять	ドヴァナーツャチ
13	трина́дцять	トルィナーツャチ
14	чотирна́дцять	チョティルナーツャチ
15	п'ятна́дцять	プィヤトナーツャチ
16	шістна́дцять	シスナーツャチ
17	сімна́дцять	シムナーツャチ
18	вісімна́дцять	ヴィシムナーツャチ
19	дев'ятна́дцять	デヴィヤトナーツャチ
20	два́дцять	ドヴァーツャチ
21	два́дцять оди́н	ドヴァーツャチ　オディーン

30	три́дцять	トルィーツャチ
40	со́рок	ソーロク
50	п'ятдеся́т	プィヤトデシャート
60	шістдеся́т	シズデシャート
70	сімдеся́т	シムデシャート
80	вісімдеся́т	ヴィシムデシャート
90	дев'яно́сто	デヴィヤノースト
100	сто	ストー
200	дві́сті	ドヴィースチ
300	три́ста	トルィースタ
400	чоти́риста	チョティールィスタ
500	п'ятсо́т	プィヤツソート
600	шістсо́т	シスソート
700	сімсо́т	スィムソート
800	вісімсо́т	ヴィスィムソート
900	дев'ятсо́т	デヴィヤツォート
1000	女 ти́сяча	トィースャチャ
1万	де́сять ти́сяч	デーシャチ　トィースャチ
10万	сто ти́сяч	ストー　トィースャチ
100万	男 мільйо́н	ミリヨーン
1000万	де́сять мільйо́нів	デーシャチ　ミリヨーニフ
1億	сто мільйо́нів	ストー　ミリヨーニフ
10億	男 мілья́рд	ミリヤールド

● 形容詞格変化例 ●

単数	主格	属格	与格	対格	具格	所格	呼格
男性	нов|и́й（新しい）	–óго	–óму	–и́й –óго	–и́м	–óму –і́м	–и́й
女性	нов|á	–óї	–і́й	–ý	–óю	–і́й	–á
中性	нов|é	–óго	–óму	–é	–и́м	–óму –і́м	–é
複数	нов|і́	–и́х	–и́м	–і́ –и́х	–и́ми	–и́х	–і́

● 名詞格変化例 ●

〈男性〉

単数							
主格	属格	与格	対格	具格	所格	呼格
студéнт（学生）	–а	–ові –у	–а	–ом	–ові –і	–е
бáтьк|о（父）	–а	–ові –у	–а	–ом	–ові –у	–у
нап|і́й（飲み物）	–óю	–óєві –óю	–і́й	–óєм	–óї –óю	–óю
дощ（雨）	–ý	–éві –ý	–	–éм	–і́ –ý	–у (дóщу)
複数						
студéнт|и	–ів	–ам	–ів	–ами	–ах	–и
батьк|и́	–і́в	–áм	–і́в	–áми	–áх	–и́
напó|ї	–їв	–ям	–ї	–ями	–ях	–ї
дощ|і́	–і́в	–áм	–і́	–áми	–áх	–і́

〈女性〉

単数						
主格	属格	与格	対格	具格	所格	呼格
ри́б|а （魚）	–и	–і	–у	–ою	–і	–о
вес|на́ （春）	–ни́	–ні́	–ну́	–но́ю	–ні́	–но (ве́сно)
ви́ш|ня （さくらんぼ）	–ні	–ні	–ню	–нею	–ні	–не
ве́ж|а （塔）	–і	–і	–у	–ею	–і	–е
ніч （夜）	но́чі	но́чі	ніч	ні́ччю	но́чі	но́че
複数						
ри́б|и	–	–ам	–и –	–ами	–ах	–и
ве́с|ни	–ен	–нам	–ни	–нами	–нах	–ни
ви́ш|ні	–ень	–ням	–ні	–нями	–нях	–ні
ве́ж|і	–	–ам	–і	–ами	–ах	–і
но́ч|і	–е́й	–а́м	–і	–а́ми	–а́х	–і

〈中性〉

単数						
主格	属格	与格	対格	具格	所格	呼格
вік|нó （窓）	–нá	–нý	–нó	–нóм	–нý –ні́	–нó
вітáн|ня （挨拶）	–ня	–ню	–ня	–нням	–ню –ні	–ня
плеч|é （肩）	–á	–ý	–é	–éм	–í	–é
поросЯ́ （子豚）	–ти	–ті	–	–м	–ті	–
複数						
ві́к|на	–он	–нам	–на	–нами	–нах	–на
вітáн|ня	–ь	–ням	–ня	–нями	–нях	–ня
плéч|і	–éй пліч	–áм	–і	–и́ма	–áх	–і
поросЯ́т|а	–	–ам	–а –	–ами	–ах	–а

索引

そ

た

ち

つ

【ウクライナ語校正】
YakuRu有限会社

【音声吹き込み】
Nataliia Lysenko（Наталія Лисенко）

厳選ウクライナ語日常単語

2023年12月10日　初版第1刷発行

編　者　語研編集部
制　作　ツディブックス株式会社
発行者　田中 稔
発行所　株式会社 語研
〒101–0064
東京都千代田区神田猿楽町 2–7–17
電　話 03–3291–3986
ファクス 03–3291–6749
組　版　ツディブックス株式会社
印刷・製本　倉敷印刷株式会社

ISBN978-4-87615-400-5 C0087
書名　ゲンセンウクライナゴニチジョウタンゴ
編者　ゴケンヘンシュウブ

定価：本体 2,000 円＋税（10%）［税込定価 2,200 円］
乱丁本，落丁本はお取り替えいたします。

株式会社語研
語研ホームページ https://www.goken-net.co.jp/

本書の感想は
スマホから↓